Das hardanger-buch 2

DAS HARDANGER-BUCH 2

Sticken ist ein schönes Hobby. Es entspannt und gibt kreative Impulse.
Gute Anleitungsbücher gehören dazu.

Seit mehr als 30 Jahren steht Christophorus für praxisbezogene
Literatur zur Freizeitgestaltung. Genauso wie dieser Band ist jeder Titel
aus dem Christophorus-Verlag mit viel Sorgfalt erarbeitet.
Das erklärt, warum unsere Bücher jährlich so vielen zufriedenen Lesern
Freude bringen.

Das Hardanger-Buch 2

Neue Muster und Motive

Christophorus
Edition Zweigart

Inhalt

5 **VORWORT**

6 **HARDANGER-STICKEREI**

7 **HARDANGER-STICHE**
7 Plattstich
7 Plattstichrand
8 Ausschneiden der Gewebefäden
8 Ausziehen der Gewebefäden
9 Paarweises Umwickeln
9 Festonstich

10 **HARDANGER-ZIERFORMEN**
10 1. Umwicklung mit Schlingenstich
10 2. Umwicklung mit Schlingenstich
11 Knötchenstege (Pikots)
12 Füllstich-Umwicklung
12 Einfache Umwicklung
12 Schlingenstich-Füllung
13 Malteserkreuz

14 **ZIERSTICHE**
14 Kästchenstich als Fläche
14 Kästchenstich als Reihe
14 Paralleler Rückstich
14 Spinnenstich 1 und 2

15 **TIPS ZUR HARDANGER-TECHNIK**
15 Rückseite
15 Vernähen
15 Ausbessern

16 **LANGETTENRÄNDER**
16 Befestigter Langettenrand

17 **SÄUME**
17 Doppelter Saum mit Briefecke
17 Hohlsaumstich
17 Saumstege

18 **STOFFKAUF**

18 **ZÄHLVORLAGEN**

18 **STICKGARN**

19 **ÜBERSICHTSTABELLE**

19 **PFLEGEHINWEISE**

20 **ZWEIGART-GEWEBEARTEN**
20 Hardanger-Zählstoffe

28 **BILD BLAUER SCHMETTERLING**

30 **KISSEN MIT SCHMETTERLINGEN**
30 Rosa Schmetterling
30 Zitronenfalter
32 Nachtfalter

40 **TISCHSETS**
40 Set Orchidee
40 Set Dotterblume
40 Set Margerite

44 **MOTIVDECKCHEN OBST**
44 Apfel
44 Birne
44 Pflaume
50 Erdbeere

52 **LÄUFER**
52 Tischläufer in Flieder
53 Tischläufer in Altrosa

58 **MITTELDECKEN**
58 Decke in Rosa
58 Decke in Flieder
63 Decke in Creme
65 Decke in Hellbeige
66 Decke Kleeblätter
70 Decke Zacken
70 Decke Blätter
74 Rustikale Mitteldecke mit Unterdecke
79 Decke in Grün

82 **TISCHDECKEN**
82 Decke mit Mittelmotiv
85 Decke in Weiß

88 **KISSEN WEIHNACHTSMOTIVE**
88 Kissen Stern
88 Kissen Glocke

92 **WEIHNACHTLICHE FENSTERBILDER**
92 Glocke
92 Stern
92 Tannenbaum

Vorwort

Die Hardanger-Durchbruchstickerei ist eine traditionsreiche Sticktechnik, die ursprünglich in der norwegischen Fjordlandschaft Hardanger gepflegt wurde. Diese Stickerei ist inzwischen so populär, daß vielfältige neue Ausdrucksformen gefunden wurden. Alle sticktechnischen Elemente des strengen, grafischen Spitzendurchbruchs sind beibehalten, jedoch in Form und Farbe umgestaltet und dem heutigen Geschmack und den geänderten Verwendungszwecken angepaßt.

Die in diesem Buch vorgestellten Motive und Muster lehnen sich an das klassische Hardanger an. Neue, moderne Entwürfe runden das Angebot der Vorlagen ab. Die Decken-Designs kommen der traditionellen Art am nächsten. Die Farben sind in Hell-Dunkel-Schattierungen in Farbgruppen geordnet und teils mit zusätzlichen Farbakzenten versehen.
Frische, bunte Farben wurden für die in Blumen- und Obstformen gestickten Modelle verwendet. Weihnachtsmotive in Gold und Silber runden den Modellteil ab.

Mit diesem neuen Band erhalten Sie eine umfassende Einführung in die Sticktechnik. Alle im Buch vorkommenden Hardanger- und Zierstiche sind in leicht verständlichen Text-Bild-Folgen genau erklärt, so daß auch Anfänger problemlos die vorgestellten Modelle nacharbeiten können.

Hardanger-Stickerei

Hardanger ist eine Durchbruchstickerei, bei der zunächst alle Motive mit Plattstichrändern befestigt werden, danach erst wird ausgeschnitten und umwickelt. Da Sie beim Umranden mit Plattstich immer an den Ausgangspunkt zurückkommen, können Sie vor dem Ausschneiden überprüfen, ob Sie sich nicht verzählt haben. Bei Mustern mit viel Durchbruch schneiden Sie am besten nur Teile aus, die gerade in den Stickrahmen passen, da das Gewebe durch die fehlenden Fäden an Stabilität verliert und erst durch die Umwicklung wieder sicher gefestigt wird. Wichtig ist, daß Sie die Reihenfolge der Arbeitsgänge einhalten:

1. Alle Durchbruchflächen mit Plattstich umranden.
2. Die Zierstichmuster sticken.
3. Ausschneiden und Stege umwickeln.
4. Bei Modellen mit Festonrändern den überstehenden Stoff zuallerletzt abschneiden, wenn alles fertig gestickt ist.

Im Fotolehrgang auf Seite 8 bis 11 sind die Grundstiche abgebildet. Mit diesen Stichen können Sie praktisch alle Hardangermuster ausführen. Hinzu kommen Zeichnungen von weiteren Stegumwicklungen und Zierstichen zum Umranden der Durchbruchfiguren oder Füllen von Gewebeflächen.

Hardanger-Stiche

PLATTSTICH

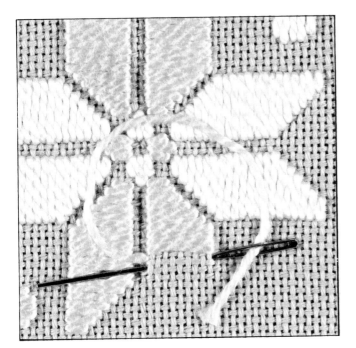

Plattstichmotive werden in senkrechten und waagerechten Stichen laut Zählvorlage gestickt. Diagonalen ergeben sich dadurch, daß aufeinanderfolgende Plattstiche jeweils um einen Gewebefaden versetzt sind.

Achtung:
Diese Motive passen nicht in das Vier-Fadenraster der Zählvorlagen und sind deshalb in Detailzeichnungen Faden für Faden extra abgebildet.

PLATTSTICHRAND

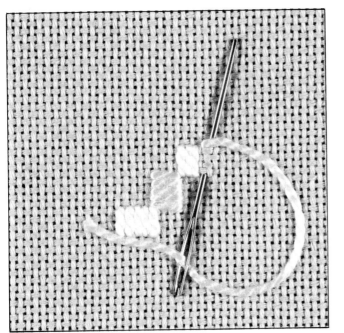

Die Hardangermotivränder bestehen aus Plattstichgruppen von je 5 Stichen über 4 Gewebefäden. Sie werden abwechselnd in senkrechter und waagerechter Richtung gestickt. An Stellen, an denen sie rechtwinklig aneinanderstoßen, wird der erste Stich einer Gruppe in dieselbe Einstichstelle wie der letzte Stich der vorigen Gruppe gearbeitet.

AUSSCHNEIDEN DER GEWEBEFÄDEN

Sind alle Ränder mit Plattstichen ge-
sichert, die Fäden dicht innerhalb der
Plattstichgruppen mit einer spitzen
Schere abschneiden. Sie schneiden jeweils Gruppen von 4 Gewebefäden.
Der Schnittrand ist durch die senkrecht verlaufenden Plattstiche gesi-
chert.
Ehe Sie mit dem Ausschneiden beginnen, nochmals auf der Rückseite
kontrollieren, ob Sie alle Stickfaden-
enden vernäht haben. Es dürfen auch
keine Fäden im Bereich der Durchbruchflächen gespannt sein.

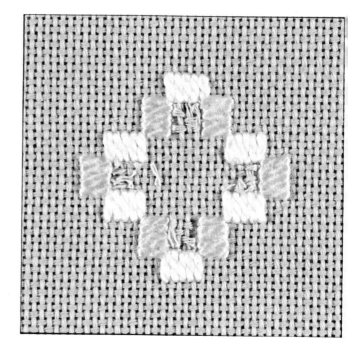

AUSZIEHEN DER GEWEBEFÄDEN

Die abgeschnittenen Gewebefäden
innerhalb des Motives ausziehen. Dabei entsteht ein durchbrochenes Fadengitter, bestehend aus Gruppen
von jeweils 4 Gewebefäden.
Bei größeren Durchbruchflächen in
Teilen ausschneiden, wie sie in den
Stickrahmen passen, da das Gewebe
durch die fehlenden Fäden Stabilität
verliert. Immer jeweils die Stegumwicklungen arbeiten und dann das
nächste Stück ausschneiden.

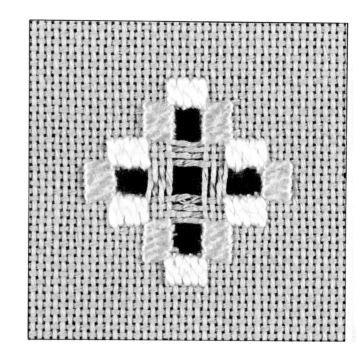

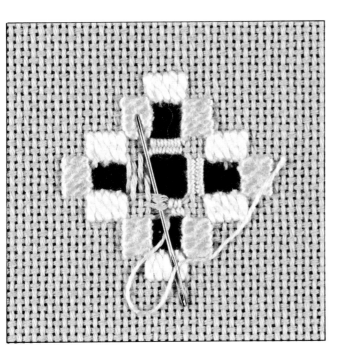

PAARWEISES UMWICKELN

Die jeweils aus 4 Fäden bestehenden Gruppen des Fadengitters durch Umwicklungen befestigen. Die Nadel abwechselnd von jeder Seite unter den jeweils letzten beiden Fäden durchführen. Die dicht und fest umwickelten Stege werden fortlaufend über die Diagonale gearbeitet.

Diese auch Stopfstich genannte Umwicklung ist am leichtesten zu arbeiten. Auf diese Weise können Sie alle Hardangerdurchbrüche sticken. Die folgenden Stiche sind Zierformen, die das Gitter auflockern.

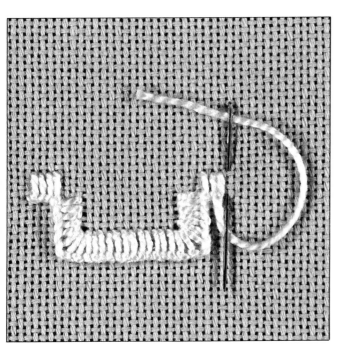

FESTONSTICH

Den Langetten- oder Zinnenrand mit Festonstich über 4 Gewebefäden arbeiten. Der Stickfaden liegt beim Ausstechen unter der Nadel. Der Abstand zwischen den Stichen ist 1 Gewebefaden. An den inneren Ecken zweimal in dieselbe Ausstichstelle sticken, an den äußeren Ecken fünfmal in dieselbe Einstichstelle. Hierbei rückt der Ausstich je 2 Gewebefäden weiter. Zuletzt den Stoff dicht am Schlingenrand entlang abschneiden.

Für bessere Gebrauchstüchtigkeit ist der befestigte Langettenrand auf Seite 16 zu empfehlen.

9

1. UMWICKLUNG MIT SCHLINGENSTICH

Die Fadengruppe wie beim paarweisen Umwickeln befestigen und beim letzten Steg eines Quadrates den Schlingenstich beginnen. Diesen Steg bis zur Mitte umwickeln. Beginnen Sie mit je einem Schlingenstich von oben um die Mitte der bereits umwickelten Stege, und führen Sie die Nadel anschließend von unten nach oben um den Stickfaden zum nächsten Steg.

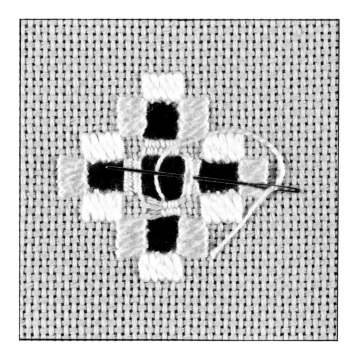

2. UMWICKLUNG MIT SCHLINGENSTICH

Beim letzten Steg die Nadel unter dem ersten Schlingenfaden herführen.
Nun sind Sie wieder an der Ausgangsposition und ziehen mit dem nächsten Wickelstich das Schlingstichnetz in Form. Den Steg fertig umwickeln.

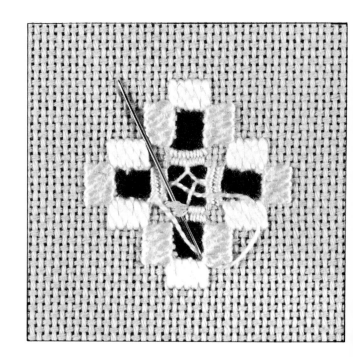

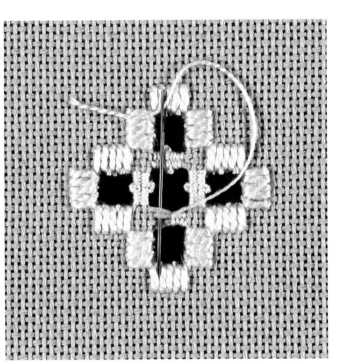

KNÖTCHENSTEGE (PIKOTS)

Bis zur Mitte des Steges die Faden-
gruppen mit paarweisen Umwicklungen befestigen, dabei die Nadel unter
den ersten beiden Fäden des Steges
führen.

In der Mitte des Steges einen Kettenstich über die 2 Fäden des Steges arbeiten.
In die Schlaufe des Kettenstiches
wird ein weiterer Kettenstich gestickt, wodurch ein deutliches Knötchen entsteht. Das Knötchen auf der
gegenüberliegenden Seite ebenso arbeiten und den Steg beenden.

FÜLLSTICH-UMWICKLUNG

Die Nadel abwechselnd um 2 Stege führen. Mit dickem Stickgarn entsteht eine großzügige Füllung. Nicht fest anziehen. Diese Füllung eignet sich nur für kleine Flächen, da das Fadengitter nur locker umwickelt ist. Sie können aber auch unter dem Füllstich zuerst die Stege mit der einfachen Umwicklung befestigen.

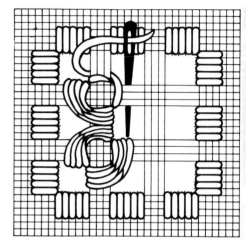

EINFACHE UMWICKLUNG

Die 4 Gewebefäden eines Steges umwickeln und zusammenziehen. Diese Umwicklung auf jeden Fall im Stickrahmen ausführen, da Sie mit einer Hand den Stickfaden halten müssen, damit sich die Umwicklung nicht lockert.

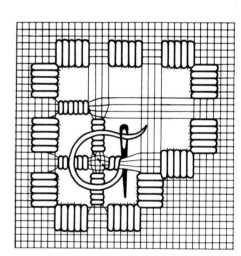

SCHLINGENSTICH-FÜLLUNG

Der Schlingenstich (siehe Seite 10) kann auch nachträglich mit einer anderen Stickgarnfarbe ausgeführt werden. Die Nadel jeweils unter dem mittleren Stich durchführen und das Quadrat mit 4 Schlingenstichen füllen. In der Stegumwicklung zum nächsten Quadrat stechen.

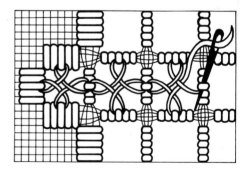

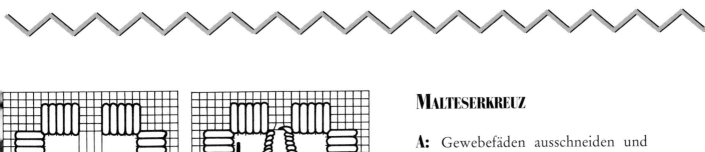

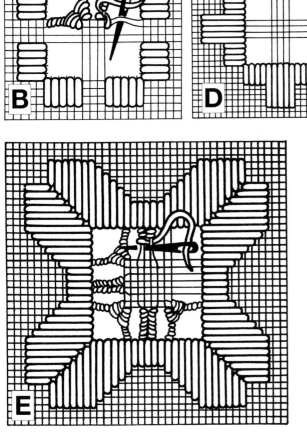

MALTESERKREUZ

A: Gewebefäden ausschneiden und ausziehen.

B: 2 Gewebefäden bis zum Motivzentrum umwickeln. Dann den Steg und die nächsten beiden Fäden über Eck bis zur Stegmitte bündeln.

C: Steg über 2 Fäden bis zum Rand umwickeln.
Dies ist die Grundform des Malteserkreuzes.

Bei **D** und **E** ist die Plattstichumrandung variiert. Hier müssen Sie beim Ausschneiden besonders vorsichtig sein, da durch Plattstich befestigte Gewebefäden stehen bleiben. Nur jeweils 4 Gewebefäden in den Motivecken ausschneiden!

Bei **E** ist ein zusätzlicher Mittelsteg zwischen den Eckumwicklungen, der in paarweiser Umwicklung umstochen wird.

Zierstiche

KÄSTCHENSTICH ALS FLÄCHE

Den Kästchenstich in 2 Arbeitsgängen nacheinander ausführen. Zuerst alle waagerechten, dann alle senkrechten Stiche reihenweise sticken. Auf der Rückseite entstehen Kreuzstiche.

KÄSTCHENSTICH ALS REIHE

Bei der einzelnen Kästchenstich-Reihe jedes Kästchen rundherum gleich fertigsticken. Auf der Rückseite entsteht ein Kreuzstich aus 3 Stichen.

PARALLELER RÜCKSTICH

A: Auf der Vorderseite diagonal, auf der Rückseite abwechselnd senkrecht und waagerecht über 2 Gewebefäden stechen.
B: Bei Richtungswechsel den Eckstich auf der Rückseite diagonal stechen.

SPINNENSTICH 1 UND 2

Acht Spannstiche bei Spinnenstich 1, sechzehn Spannstiche bei Spinnenstich 2 vom Mittelpunkt aus rundherum über 2 Gewebefäden sticken und dabei ein Vier-Fadenkästchen füllen.

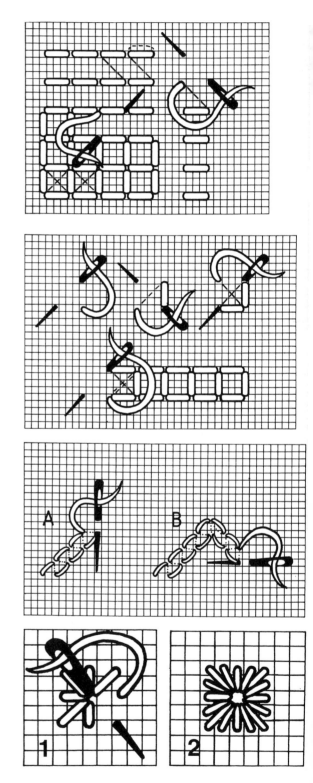

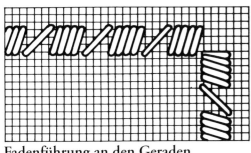

Fadenführung an den Geraden

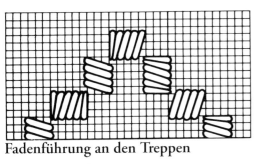

Fadenführung an den Treppen

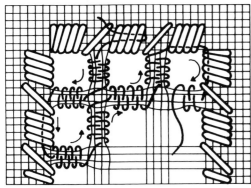

Die Umwicklungen in diagonalen Treppen arbeiten und den Stickfaden unter den Plattstichblöcken zur nächsten Diagonale führen.

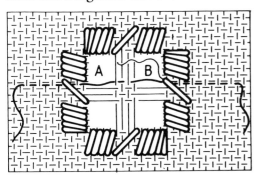

RÜCKSEITE

Vor dem Ausschneiden die Hardanger-Plattstichränder von der Rückseite kontrollieren. Es dürfen keine Fäden im Bereich der Durchbruchfläche gespannt sein.

VERNÄHEN

Niemals den Stickfaden mit einem Knoten beginnen. Den Fadenanfang auf der Rückseite ca. 5 cm hängen lassen und nachträglich vernähen. Im Verlauf der Stickerei den Anfang zuerst unter 3 Plattstichgruppen herführen. Das Fadenende ebenfalls unter 3 Plattstichblöcken vernähen.

AUSBESSERN

Auch der geübtesten Stickerin kann es passieren, daß sie beim Ausschneiden einen Faden zuviel abschneidet.
Am Geweberand einen Faden ausziehen. Bei A (Abb. unten links) ist die falsche Schnittstelle. Den Faden dem Gewebe folgend über ca. 10 Fäden einstopfen. Den abgeschnittenen Faden bis zur gegenüberliegenden Plattstichgruppe herausziehen, durch den neuen Gewebefaden ersetzen und verstopfen. Die Fadenenden des eingestopften Fadens ca. 5 cm lang hängen lassen und erst abschneiden, wenn die Umwicklungen fertig sind. Das Fadenende bei B vor dem Umwickeln abschneiden.

Langettenränder

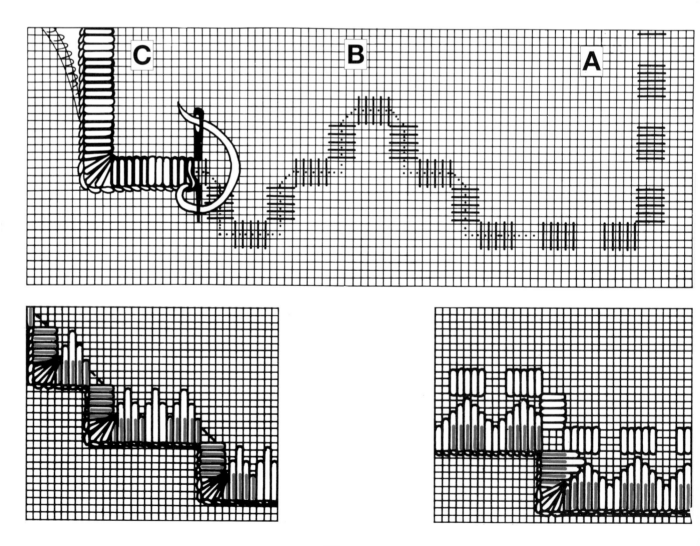

BEFESTIGTER LANGETTENRAND

Der befestigte Langettenrand wird in 3 Arbeitsgängen nacheinander ausgeführt.

A: Wie beim Hardanger-Grundschema Plattstichgruppen von 5 Stichen über 4 Gewebefäden sticken. Dabei 2-fädigen Sticktwist in der Farbe des Grundgewebes oder des Langettenrandes verwenden. Diese Stichgruppen sind in der Zählvorlage dicker gekennzeichnet. Damit entfällt bei langen Geraden das Auszählen von Einzelstichen.

B: Darüber mit der Nähmaschine eine Stepplinie mit 1 mm Sticheinstellung steppen.

C: Den Langettenrand darüber sticken. Unter den dicker gezeichneten Stichen liegt die Sticktwistmarkierung. An den Ecken 5 Stiche in dieselbe Einstichstelle sticken. Das Gewebe dicht am Langettenrand abschneiden, jedoch erst, wenn das ganze Motiv fertig gestickt ist.

Abbildungen unten:
Der Langettenrand kann auch mit Zackenmustern gestickt werden. Diese tiefer gestochenen Festonstiche sind nicht nur Zierde, sie machen den Rand noch haltbarer.

Säume

Beachten Sie beim Stoffkauf, daß für einen 3 cm breiten doppelten Saum ca. 12 cm zum Fertigmaß dazugerechnet werden müssen.
Außerdem noch 10 bis 15 cm Stoff zur Sicherheit dazugeben.

DOPPELTER SAUM MIT BRIEFECKE
(Abb. oben)

An der inneren Saumlinie rundherum je einen Gewebefaden von Ecke zu Ecke herausziehen. Laut Abbildung a im Abstand von 3 cm die Einschlaglinien markieren und den überstehenden Stoff abschneiden (9 cm von der inneren Saumlinie entfernt).
Den Einschlag laut Abbildung b legen und die schraffierte Ecke abschneiden. Laut Abbildung c die Innenseite des Saumes einschlagen und heften. Die schräge Briefecke mit kleinen Stichen schließen.

HOHLSAUMSTICH
(Abb. Mitte)

Dies ist der klassische Randabschluß für gezählte Handarbeiten.
Auf der linken Seite mit der Nadel abwechselnd je 2 Fäden entlang der ausgezogenen Linie fassen und dann 2 Gewebefäden senkrecht in den umgeschlagenen Saum stechen.

SAUMSTEGE
(Abb. unten)

Dieser Rand paßt besonders gut zu Hardanger.
An der inneren Saumlinie rundherum je 4 Gewebefäden von Eck zu Eck ausziehen und die Fadenenden im Gewebe verstopfen. Wie bei der paarweisen Umwicklung je 4 Fäden bündeln. Den doppelten Saum an der äußeren Stegkante ansäumen.

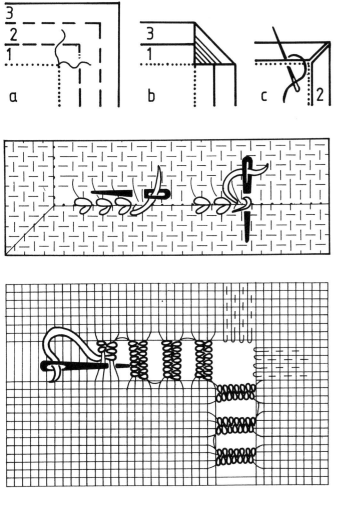

Stoffkauf

Beim Stoffkauf darauf achten, daß Sie Saumzugaben oder bei Langettenrändern zusätzlich Stoff zum Einspannen in den Stickrahmen benötigen.

Zur Sicherheit sollten Sie je nach Größe des Modells noch 10 bis 15 cm Stoff hinzurechnen.

Zählvorlagen

Um Ihnen das Arbeiten nach der Vorlage übersichtlicher zu machen, sind die stichgenauen Zählmuster in Karogruppen gezeichnet, die gleichzeitig den für Hardanger typischen Plattstichgruppen entsprechen. Details, die nicht in dieses Schema passen, sind fadenweise gezeichnet.

Die Zählvorlagen zeigen entweder das ganze Stickmotiv, ein Viertel oder die Hälfte. Dies richtet sich nach der Größe der Einzelmotive. Die Motivoder Deckenmitte ist jeweils durch eine gestrichelte Linie markiert. Drehen Sie die Zählvorlage jeweils um ein Viertel, und setzen Sie die Vorlage exakt an der gestrichelten Linie wieder an.

Die Aufteilungsskizzen geben einen Überblick über das ganze Modell. Anhand dieser Zeichnungen können Sie auch selbst ganz leicht die Größen nach Ihren Wünschen verändern.

Die Stickerei immer von der Mitte aus einteilen. Am besten markieren Sie die in jeder Stickvorlage angegebenen Mittellinien mit Heftstichen auf dem Gewebe. Da die Stickerei auf Vierer-Fadengruppen basiert, gilt für die Zählvorlagen:

1 KÄSTCHEN = 4 GEWEBEFÄDEN

Stickgarn

Hardanger-Stickerei wird meisten mit Perlgarn gearbeitet. Für Farbakzente können Sie auch Sticktwist verwenden. Die Stärke richtet sich nach dem Gewebe (siehe Tabelle auf Seite 19). Die Plattstiche müssen das Gewebe voll überdecken, für die Umwicklungen wählen Sie ein dünneres Garn, damit die Stege zart und filigran werden.

Sie können auch durch die Farbwahl den Spitzencharakter der Stickerei erhöhen. Etwas dunklere Stege lassen die Löcher größer erscheinen, hellere Plattstiche wirken erhaben und verstärken den Reliefcharakter.

Übersichtstabelle

FADENDICHTE	GEWEBE	STICKGARN	NADEL
ca. 7 Fäden/cm	FLOBA 1198 DAVOSA 3770 CARRARA 3969	Plattstich Perlgarn 3	Nr. 20
ca. 7,5 Fäden/cm	ARIOSA 3711 CORK 3613	Umwicklung Perlgarn 5 oder Perlgarn 8	Nr. 20/22 Nr. 22/24
ca. 8 Fäden/cm	BELLANA 3256	Plattstich Perlgarn 5	Nr. 20/22
ca. 9 Fäden/cm	OSLO 3947		
ca. 10 Fäden/cm	LUGANA 3835 DUBLIN 3604	Umwicklung Perlgarn 8	Nr. 22/24
ca. 11 Fäden/cm	MERAN 3972 ANNABELLE 3240		
ca. 12 Fäden/cm	BELFAST 3609	Plattstich Perlgarn 8 Umwicklung Vierfachstickgarn 16	Nr. 22/24 Nr. 24

Pflegehinweise

Durchbruch- und Spitzenstickereien sollten schonend behandelt werden, darum einige Tips zur Pflege:
Wenn Sie die Stickerei nicht von Hand waschen möchten, was zweifellos das Schonendste ist, sollten Sie diese kostbare Handarbeit in ein Säckchen oder einen Kissenbezug stecken, um sie vor unnötiger Beanspruchung zu schützen. Aus diesem Grund dürfen Lochstickereien auch nicht geschleudert werden und gehören keinesfalls in den Trockner, da durch das Ziehen und Herumwirbeln die Gewebestruktur gelockert wird.
Von der Rückseite mit einem darübergelegten, feuchten Tuch bügeln. Ihre gestickten Werke werden so auf Dauer ihre Haltbarkeit und reizvolle Optik behalten.
Wasch- und Bügeltemperaturen richten sich immer nach dem schwächsten Glied. Wenn Sie z. B. Gold- und Silbergarne versticken, dürfen Sie mit maximal 30°C waschen und bei geringer Temperatur bügeln, auch wenn beim Gewebe 95°C und für das Bügeln „drei Punkte" angegeben sind. Achten Sie also grundsätzlich auch auf die Pflegevorschriften der Stickgarnhersteller. Um die Farben unverändert zu erhalten, immer Waschmittel ohne Aufheller verwenden.

Zweigart-Gewebearten

Hardanger-Zählstoffe

Diese Gewebeübersicht soll Ihnen die Auswahl des passenden Stoffes erleichtern, denn am Anfang steht sicher immer zuerst der optische Reiz. Nicht nur die Stickerei, auch der Materialcharakter des Gewebes bestimmt das endgültige Werk. Ob glatt, markant oder eher zart strukturiert, gröber oder feiner, rustikal oder elegant, das Gewebe bildet eine unverwechselbare Einheit mit der Stickerei und wandelt das Aussehen bei gleichem Stickmuster.

Damit Sie lange Freude an Ihrer Stickerei haben, hat nicht zuletzt auch der Verwendungszweck erheblichen Einfluß auf die Wahl des geeigneten Grundmaterials. Suchen Sie ein Gewebe für einen Gebrauchsgegenstand, der öfter gewaschen wird, oder für ein Deckchen, das als Blickfang dekoriert wird, möchten Sie Ihre Stickerei wie eine Grafik rahmen, als transparentes Bild ins Fenster hängen oder schnell

eine kleine persönliche Glückwunschkarte gestalten? Für alle Fälle gibt es ein passendes Gewebe.

Ihre Hardanger-Stickerei kommt besonders gut zur Geltung, wenn Sie z. B. für ein Kissen das farblich abgestimmte Inlett verwenden, für die Tischdecken oder Läufer eine entsprechende Unterdecke.

Als Faustregel gilt, unabhängig ob das Gewebe grobfädig oder feiner ist: Je dichter und geschlossener das Gewebe ist, desto gebrauchstüchtiger ist es im Zusammenhang mit Lochstickerei. Deshalb ist die Empfehlung von grobfädig bis fein z. B. DAVOSA, BELLANA, LUGANA, MERAN, ANNABELLE, BELFAST. Für Transparenz, bei der nicht auf Strapazierfähigkeit geachtet werden muß, sind die Siebleinen ein wunderschönes, edles Material.

Unabhängig vom Nutzen ist es natürlich wichtig, wieviel Zeit Sie auf Ihre Stickerei aufwenden möchten. Das

wird nicht nur durch die gewünschte Größe des Modells bestimmt, sondern hängt in ganz erheblichem Maß von der Fadenzahl im Stoff ab. Für große, prächtige Decken und kleine, rasch gestickte Geschenke sind die Gewebe mit sieben bis acht Fäden pro Zentimeter geeignet, für kleine Kostbarkeiten wird der Hardanger-Profi zu den Fadendichten um zehn Gewebefäden pro Zentimeter greifen.

Die Zählvorlagen in diesem Buch können Sie für alle Fadendichten verwenden, es verändern sich dabei jedoch die Modellgrößen. Deshalb sind für alle Gewebearten an erster Stelle die Fadenzahlen auf 10 cm angegeben. Durch 4 geteilt, erhalten Sie die Anzahl der Kästchen in der Zählvorlage. Um Ihnen das Umrechnen zu erleichtern, stehen bei jedem Gewebe die Kästchenzahlen für die Zählvorlage. Wenn Sie ein Gewebe mit höherer Fadenzahl als das Original wählen, können Sie Mustersätze beliebig wiederholen oder Motive zwischenschieben und kommen damit wieder auf ähnliche Modellgrößen. Dem kreativen Spiel sind dabei keine Grenzen gesetzt.

Diese Auswahl an Geweben will auch zeigen, daß Hardanger und überhaupt gezählte Stickereien nicht auf „irgendein" Gewebe gestickt werden können, denn das Hauptmerkmal von Handarbeits-Zählstoffen ist, daß sie „quadratisch" gewebt sind, das heißt, Längs- und Querfadensystem haben die gleiche Anzahl Fäden auf den Zentimeter. Dies ist wichtig, damit Bordüren in beiden Richtungen gleich breit und Mustersätze gleich lang werden. Bei Einzelmotiven ist es wesentlich, daß sie am Ende auch wirklich quadratisch herauskommen.

Mit dieser kleinen Vorinformation kann es ans Auswählen des Gewebes gehen, die jeweils passenden Stickgarne finden Sie auf Seite 19. Denn im Aussuchen und Abwägen liegt bereits der erste Stickspaß.

DAVOSA 3770

ca. 71 Gewebefäden = 10 cm
Gewebebreiten: 140 und 180 cm
Material: 100% Baumwolle
Ausrüstung: pflegeleicht
Waschen: helle Farben 95°C,
dunkle Farben 60°C
Bügeln: •••

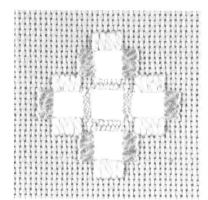

DAVOSA ist ein Handarbeitsstoff aus reiner Baumwolle, dessen Gewebefäden aus mehrfach zusammengezwirnten Einzelfäden bestehen. Dabei wird der Faden glatt und gleichmäßig und gibt dem Gewebe seinen klaren, ebenmäßigen Ausdruck. Er ist besonders gut zu zählen und wird daher von Hardanger-Kursleiterinnen häufig empfohlen. Für Ihre erste Hardanger-Arbeit ist er zum Erlernen der Technik der ideale Grundstoff. Aber auch Hardanger-Profis schwören auf dieses Gewebe, da die Stickerei zügig vorangeht. Nicht zuletzt trägt die große Farbauswahl zu seiner Beliebtheit bei.

10 Kästchen in der Zählvorlage = ca. 56 mm
10 cm im Gewebe = ca. 18 Kästchen

ARIOSA 3711

ca. 75 Gewebefäden = 10 cm
Gewebebreiten: 140 und 180 cm
Material: 60% Viskose,
40% Baumwolle
Ausrüstung: pflegeleicht
Waschen: 60°C
Bügeln: •••

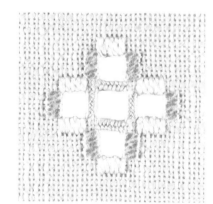

Das besondere Merkmal von ARIOSA ist seine ausdrucksvolle Flammenstruktur. Sie entsteht, indem matte Baumwollflamme mit glänzender Viskose zusammengesetzt wird. Das Gewebe bleibt aber trotz des Flammenzwirns gut auszählbar.

Zusammen mit der grafischen Grundstruktur der Hardanger-Stickerei entsteht eine ganz charakteristische Wirkung. ARIOSA eignet sich auch besonders dann, wenn Sie nicht so üppig bestickte Modelle arbeiten und die Gewebestruktur mitwirken lassen. ARIOSA ist nur geringfügig dichter gewebt als DAVOSA, so daß alle Maßangaben bei den Zählvorlagen für DAVOSA ungefähr auch für dieses Gewebe gelten und damit austauschbar sind. Sie verwandeln ebenmäßige, glatte Modelle in eine rustikalere Richtung.

10 Kästchen in der Zählvorlage: = ca. 53 mm
10 cm im Gewebe = ca. 19 Kästchen

FLOBA 1198

ca. 69 Gewebefäden = 10 cm
Gewebebreiten: 140 und 170 cm
Material: 70% Viskose,
30% Leinen
Ausrüstung: pflegeleicht
Waschen: 60°C
Bügeln: ●●●

FLOBA ist ein Zählstoff aus Leinenmischzwirn. Die gleichmäßige Beimischung von Leinenfasern im Spinnprozeß gibt diesem Flockenbastgewebe den unverwechselbaren Charakter von naturbelassenem Leinen. Durch die Viskosefasern erhält das Gewebe Glanz. Naturcharakter und Hardanger-Durchbruch verbinden sich in reizvollem Kontrast. Die Fadendichte ist der von DAVOSA sehr ähnlich, so daß Sie viele Originalmodelle umsetzen können. Um die Schönheit Ihrer Handarbeit zu erhalten, nur Feinwaschmittel ohne Bleichzusätze und optischen Aufheller verwenden, da sonst der Farbton der rohen Leinenfasern verlorengeht.

10 Kästchen in der Zählvorlage = ca. 58 mm
10 cm im Gewebe = ca. 17 Kästchen

CARRARA 3969

ca. 71 Gewebefäden = 10 cm
Gewebebreite: 140 cm
Material: 100% Polyacryl
Waschen: 30°C
Bügeln: ●

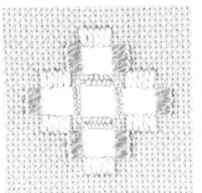

CARRARA ist wie DAVOSA ein glattes und regelmäßiges Gewebe aus mehrfach gezwirntem Garn. Die Fadendichten sind identisch. Deshalb können Sie alle Zählvorlagen von DAVOSA ohne Abänderung auf dieses Gewebe übernehmen.

Der wesentliche Unterschied liegt im Fasermaterial. Wenn Sie besonderen Wert auf Pflegeleichtigkeit legen, ist dieses vollsynthetische Gewebe das richtige für Sie; zu berücksichtigen ist dabei nur, daß die Waschtemperatur 30°C nicht überschreitet. Das Stickmaterial bleibt gleich, und falls Sie Gold- oder Silbergarne mit versticken, entstehen keine Probleme.

10 Kästchen in der Zählvorlage = ca. 56 mm
10 cm im Gewebe = ca. 18 Kästchen

CORK 3613

ca. 75 Gewebefäden = 10 cm
Gewebebreite: 140 cm
Material: 100% Reinleinen
Waschen: 95°C
Bügeln: ●●●

CORK ist ein besonders edles Gewebe, das auch unter der Bezeichnung Grobsiebleinen oder schweres Siebleinen bekannt ist.

Die offene Webart bringt die Leinenstruktur und das glatte, sanft glänzende Flachsgarn voll zur Geltung. Seine Transparenz zusammen mit der Hardanger-Stickerei läßt dieses Gewebe trotz seiner relativ geringen Fadendichte niemals grob erscheinen. Zinnenränder oder Gegenstände, die strapaziert werden, sollten Sie aus dem Gewebe allerdings nicht machen, dafür eignen sich andere Handarbeitsstoffe besser.

10 Kästchen in der Zählvorlage = ca. 53 mm
10 cm im Gewebe = ca. 19 Kästchen

BELLANA 3256

ca. 80 Gewebefäden = 10 cm
Gewebebreiten: 140 und 180 cm
Material: 52% Baumwolle,
48% Viskose
Ausrüstung: pflegeleicht
Waschen: 60°C
Bügeln: ●●●

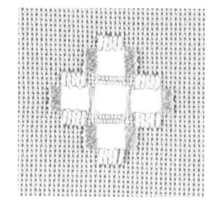

BELLANA ist ein perliger, besonders gut zählbarer Handarbeitsstoff. Mehrfachzwirn und Viskosebeimischungen bringen den glatten, edel glänzenden Ausdruck und eine übersichtliche Gewebestruktur. Er liegt mit seiner Fadenzahl zwischen DAVOSA und LUGANA, nach der einen Seite also etwas feiner in der Optik, aber doch nicht so arbeitsintensiv wie die feinen Hardanger-Gewebe. Er wird daher häufig von Hardanger-Stickerinnen bevorzugt, die die Technik bereits kennen, aber die kürzere Stickzeit, auch für größere Modelle, zu schätzen wissen. Auch die Kombination mit Kreuzstich bietet sich hier an, da über zwei Fäden gestickter Kreuzstich bereits zart und duftig erscheint. BELLANA gibt es auch mit Gold- und Silbereffekt für festliche und Weihnachts-Stickereien. Hier gilt dann allerdings max. 30°C-Wäsche.

10 Kästchen in der Zählvorlage = ca. 50 mm
10 cm im Gewebe = ca. 20 Kästchen

OSLO 3947

ca. 87 Stiche im Gewebe = 10 cm
Gewebebreite: 170 cm
Material: 100% Baumwolle
Ausrüstung: mercerisiert,
pflegeleicht
Waschen: helle Farben 95°C,
dunkle Farben 60°C
Bügeln: ●●●

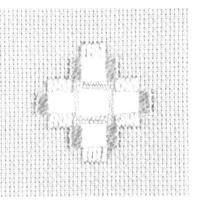

OSLO hat die traditionelle skandinavische Hardanger-Struktur und wird daher auch häufig als „Hardangerstoff" bezeichnet. Typisch dafür ist die sogenannte Panamabindung, bei der sich die Fäden paarweise im Gewebe verkreuzen. Solch ein Fadenpaar nennt man „Stich", und es wird beim Auszählen als ein Faden behandelt. Tatsächlich haben wir eine Fadenzahl von ca. 175 dünnen Fäden auf 10 cm, wodurch das Gewebe feiner aussieht und trotzdem so leicht zu zählen ist wie die gröberen Garnstrukturen. Bei OSLO kommen noch Glanz und brillanter Farbausfall durch die mercerisierte Baumwolle hinzu.

10 Kästchen in der Zählvorlage = ca. 46 mm
10 cm im Gewebe = ca. 22 Kästchen

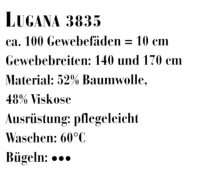

LUGANA 3835

ca. 100 Gewebefäden = 10 cm
Gewebebreiten: 140 und 170 cm
Material: 52% Baumwolle,
48% Viskose
Ausrüstung: pflegeleicht
Waschen: 60°C
Bügeln: ●●●

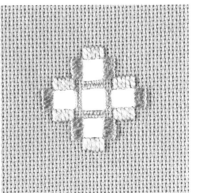

LUGANA ist ein feiner, glatter Zählstoff. Durch den runden, dreifachen Zwirn erhält er eine perlige Oberfläche und bleibt daher trotz seiner hohen Dichte gut zählbar. Die Viskosebeimischung verleiht ihm den typischen sanften Glanz. Mit zehn Fäden auf den Zentimeter kommen wir in den Bereich der Gewebe für den Hardanger-Geübten, der für Feines, Elegantes und Zartes etwas mehr Zeit investiert. Es ist kein höherer Schwierigkeitsgrad, die Technik bleibt die gleiche, und ein Untersetzer, eine Glückwunschkarte sind nicht nur von Profis zu bewältigen.

10 Kästchen in der Zählvorlage = ca. 40 mm
10 cm im Gewebe = ca. 25 Kästchen

DUBLIN 3604

ca. 100 Gewebefäden = 10 cm
Gewebebreiten: 140 und 170 cm
Material: 100% Reinleinen
Waschen: 95°C
Bügeln: ●●●

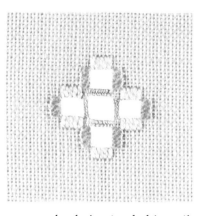

DUBLIN ist das klassische Siebleinen und das feine Gegenstück zu CORK. Das offene Gewebe aus glattem, edlem Flachsgarn in feiner Ausspinnung wirkt zart und transparent. Wenn nun noch Hardanger-Stickerei dazukommt, entsteht eine besondere Kostbarkeit. Auch hier gilt wie bei CORK: Zinnenränder sollten Sie vermeiden. Allenfalls kommt, wenn Sie besonders pfleglich mit Ihrer Stickerei umgehen, der besonders gefestigte Zinnenrand, wie auf Seite 11 beschrieben, in Betracht.

10 Kästchen in der Zählvorlage = ca. 40 mm
10 cm im Gewebe = ca. 25 Kästchen

MERAN 3972

ca. 107 Gewebefäden = 10 cm
Gewebebreiten: 140 und 180 cm
Material: 60% Viskose,
40% Baumwolle
Ausrüstung: pflegeleicht
Waschen: 60°C
Bügeln: ●●●

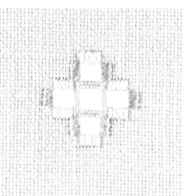

Bei MERAN ist ebenso wie bei ARIOSA eine matte Baumwollflamme mit glänzender Viskose zusammengezwirnt. Das Gewebe ist nur feiner und flächiger, aber ebenso ausdrucksstark und unverwechselbar in seinem Charakter. Wie bei ARIOSA gilt auch hier, daß diese zarte Stickerei in Kombination mit dem strukturierten Gewebe nicht so üppig gestickt zu werden braucht, um dekorative Wirkung zu entfalten. Sowohl MERAN als auch ARIOSA gibt es in Modefarben, so daß Sie eine traditionelle Stickerei durch ein aktuelles Element ergänzen können.

10 Kästchen in der Zählvorlage = ca. 37 mm
10 cm im Gewebe = ca. 27 Kästchen

ANNABELLE 3240

ca. 112 Gewebefäden = 10 cm
Gewebebreiten: 140 und 180 cm
Material: 100% Baumwolle
Ausrüstung: pflegeleicht
Waschen: 60°C
Bügeln: •••

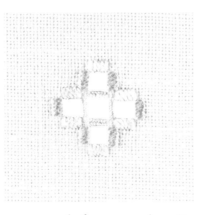

ANNABELLE ist ein feines, dichtes Strukturgewebe aus reiner Baumwolle. Es wird durch schwache Flammen in großen Abständen belebt und bleibt dabei gleichmäßig und gut auszählbar. Seine Oberfläche hat Leinencharakter, gleichzeitig aber die Pflegeeigenschaften von reiner Baumwolle und ist daher leichter zu bügeln. Für Liebhaber sehr feiner Hardanger-Arbeiten ist es ein ideales Grundgewebe.

10 Kästchen in der Zählvorlage = ca. 36 mm
10 cm im Gewebe = ca. 28 Kästchen

BELFAST 3609

ca. 122 Gewebefäden = 10 cm
Gewebebreite: 140 cm
Material: 100% Reinleinen
Waschen: 95°C
Bügeln: •••

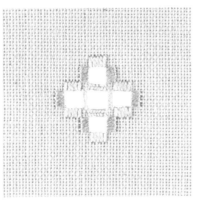

BELFAST ist ein feines und glattes Reinleinengewebe aus Langfaserflachsgarn, dicht gewebt und trotzdem gut zu zählen. Es ist für Hardanger das edelste und feinste in dieser Gewebeaufstellung und für begeisterte, ausdauernde und geübte Hardanger-Sticker genau das richtige Grundmaterial für ein Stickerei-Kunstwerk.

Bei noch feineren Geweben wird das Zählen schwieriger, und das Hardanger-Grundraster wird dann besser von vier auf sechs Gewebefäden erweitert.

10 Kästchen in der Zählvorlage = ca. 33 mm
10 cm im Gewebe = ca. 31 Kästchen

Bild blauer Schmetterling

MERAN 3972/534 mittelblau

Bildgröße: ca. 55 x 45 cm
Stickfeld: 113 x 79 Kästchen,
452 x 316 Gewebefäden
Motivgröße: ca. 42 x 30 cm
Stoffgröße: ca. 55 x 40 cm
Untergrund: LINDA 1235/560 royalblau

STICKGARN

Hardanger-Plattstich: Perlgarn 5 oder
Sticktwist 6-fädig
Umwicklungen und Langettenrand:
Perlgarn 8 oder Sticktwist 3-fädig
Vorsticken unter dem Langettenrand:
Sticktwist 1-fädig

Weiteres Material: Bilderrahmen, Karton

Zuerst den Schmetterling laut Hardangeranleitung und Zählvorlage fertig sticken und auf den Untergrund applizieren.
Das Grundgewebe über einen Karton in der entsprechenden Rahmengröße ziehen und auf der Rückseite festkleben oder mit gegenüberliegenden Stichen verspannen.

Zählvorlage auf Seite 34 und 35

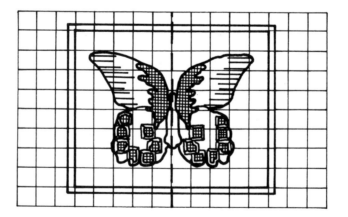

Kissen mit Schmetterlingen

ROSA SCHMETTERLING
MERAN 3972/414 altrosa

Kissengröße: ca. 57 x 46 cm
Stickfeld: 113 x 79 Kästchen,
452 x 316 Gewebefäden
Motivgröße: ca. 42 x 30 cm
Stoffgröße: ca. 55 x 40 cm
Kissenhülle: OSLO 3947/448 altrosa

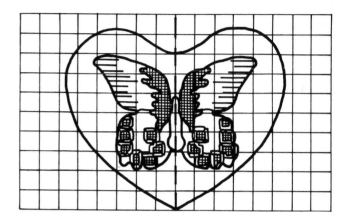

ZITRONENFALTER
MERAN 3972/237 hellgelb

Kissengröße: ca. 52 x 40 cm
Stickfeld: 113 x 85 Kästchen,
452 x 340 Gewebefäden
Motivgröße: ca. 42 x 32 cm
Stoffgröße: ca. 55 x 45 cm
Kissenhülle: PÜNKTCHEN 2168/709
schwarz

Nachtfalter und Ausarbeitung auf Seite 32
Zählvorlagen auf Seite 34, 35, 36 und 37

31

NACHTFALTER
Abb. Seite 31
MERAN 3972/598 antikviolett

Kissengröße: ca. 47 x 36 cm
Stickfeld: 103 x 77 Kästchen,
412 x 308 Gewebefäden
Motivgröße: ca. 39 x 29 cm
Stoffgröße: ca. 50 x 40 cm
Kissenhülle: PÜNKTCHEN 2168/709
schwarz

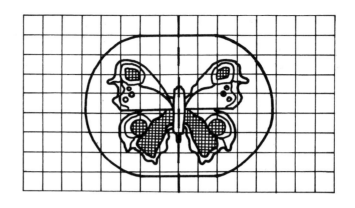

STICKGARN
**Hardanger-Plattstich: Perlgarn 5 oder
Sticktwist 6-fädig
Umwicklungen und Langettenrand:
Perlgarn 8 oder Sticktwist 3-fädig
Vorsticken unter dem Langettenrand:
Sticktwist 1-fädig**

**Weiteres Material
Schnittpapier, Heftgarn, Nähgarn,
Reißverschluß, Schrägband, Wattiervlies**

Die Hardanger-Zählstickerei mit einer stumpfen Sticknadel sticken. Die Applikation mit einer spitzen Nadel ausführen.

Zuerst die Schmetterlinge laut Hardangeranleitung und Zählvorlage fertig sticken. Den Schemazeichnungen entsprechend einen Papierschnitt für die Kissenhülle erstellen. 1 Karo in der Skizze = 5 cm im Original.

Den Schnittumriß und die Mittellinie auf dem Kissengewebe mit Heftstichen markieren. Den Schmetterling von der Mitte ausgehend daraufheften und mit kleinen Rückstichen festnähen. Verwenden Sie dafür Nähgarn oder 1-fädigen Sticktwist in der Farbe des Schmetterling-Gewebes. Folgen Sie dabei den Linien des Musters, damit die Stiche nicht zu sehen sind: Am inneren Langettenrand entlang, die Körperform umranden und einige Detaillinien auf dem Grundgewebe festnähen.

Für die Kissenrückwand zuerst entlang der Mittellinie einen Reißverschluß einnähen, dann Ober- und Rückenteil links auf links zusammenlegen und die Kissenkontur ausschneiden. Die Teile mit Schrägband an den Schnittkanten rundherum zusammennähen und gleichzeitig versäubern. Eine Kissenfüllung in entsprechender Größe nähen und mit Wattiervlies füllen.

☐ 1 Kästchen = 4 Gewebefäden
Plattstichgruppen:
⫿⫿⫿⫿ blaßviolett
ﬀﬀﬀ altrosa, dunkel
ﬀﬀﬀ antikviolett, dunkel
◼ ausschneiden
einfache Umwicklung:
● antikviolett, hell
Pikot-Umwicklung:
8 rotviolett
Langettenrand:
⊩⫿⫿⫿ blaßviolett

⊩⫿⫿⫿ antikviolett, hell

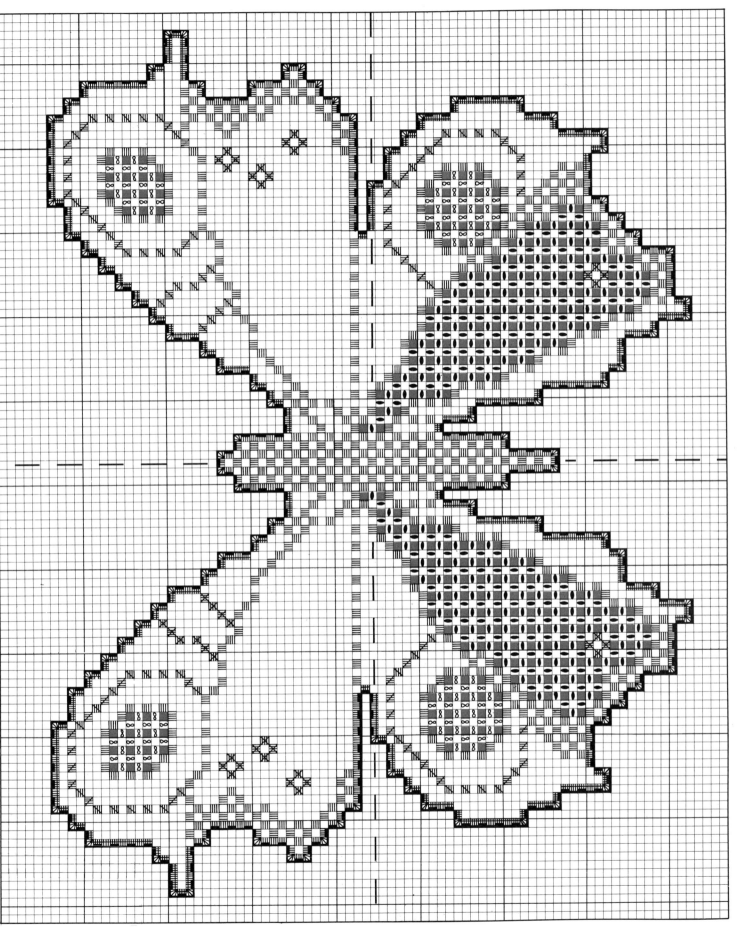

BLAUER SCHMETTERLING
ROSA SCHMETTERLING

☐ 1 Kästchen = 4 Gewebefäden

Plattstichgruppen:

|||| mittelblau (lachsrosa, hell)

▦ dunkeltürkis (erika)

▨ helltürkis (lachs, mittel)

▨ hellgrün (lachs, dunkel)

▪ ausschneiden

einfache Umwicklung:

● himmelblau (lachsrosa)

Pikot-Umwicklung:

8 blauviolett (erika)

Langettenrand:

▥ himmelblau (lachsrosa)

Zählvorlage zu Seite 28, 29 und 30, 31

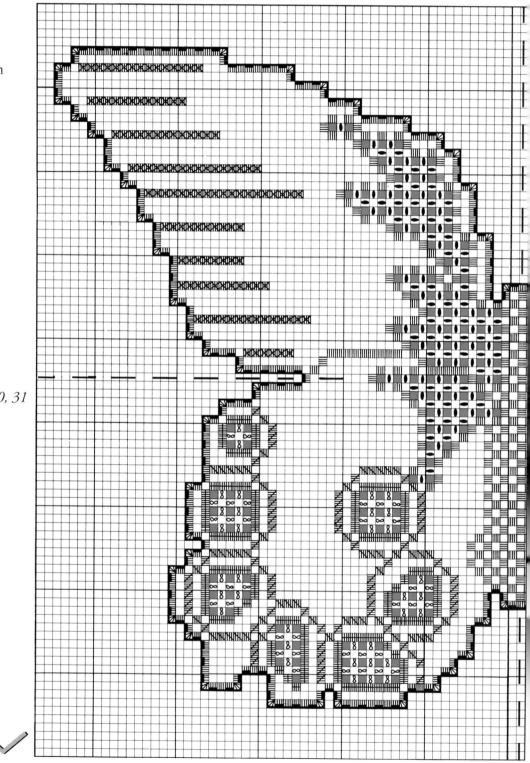

34

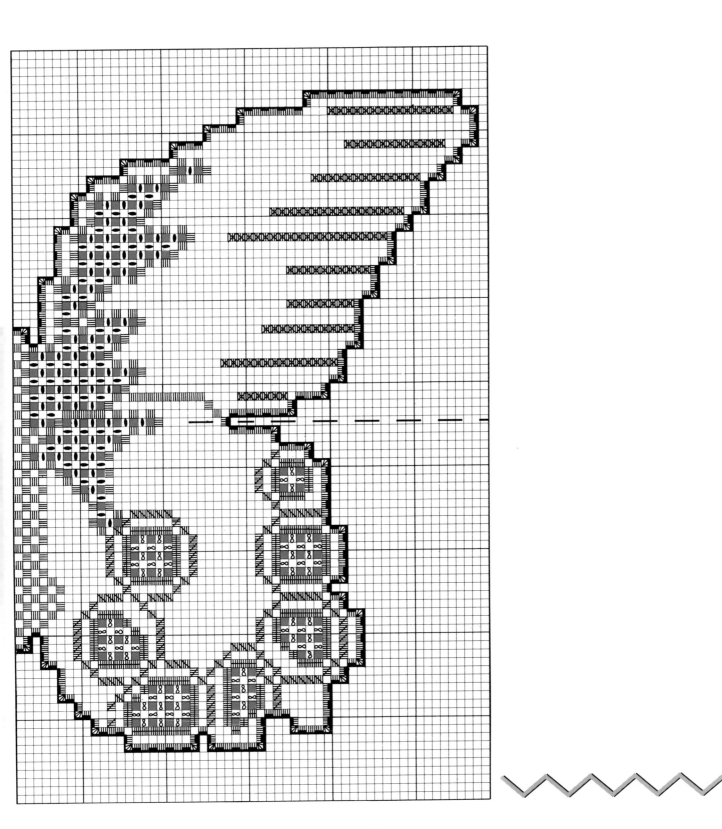

ZITRONENFALTER

□ 1 Kästchen = 4 Gewebefäden

Plattstichgruppen:

||||| kanariengelb

|||||| hellgelb

|||| gelbgrün

|||| gelborange

■ ausschneiden

paarweise Umwicklung:

● blaßgelb

Langettenrand:

||||||||| gelbgrün

Zählvorlage zu Seite 30 und 31

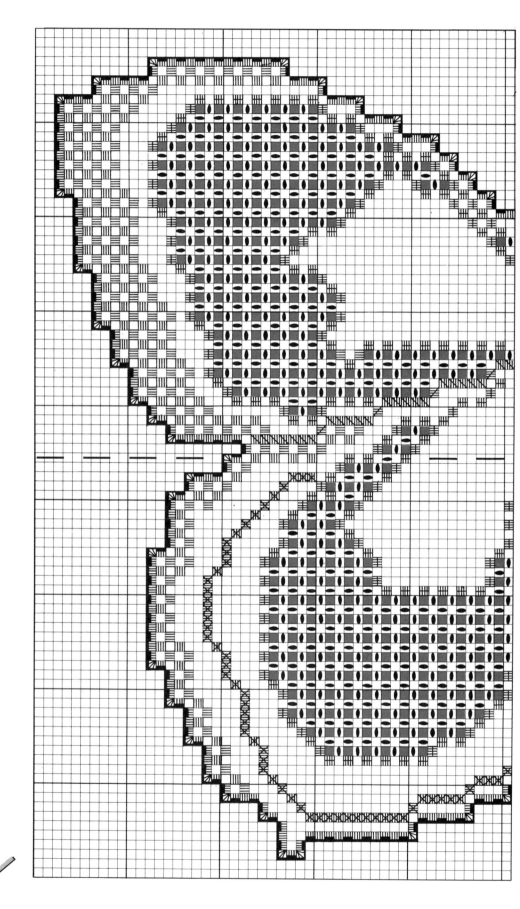

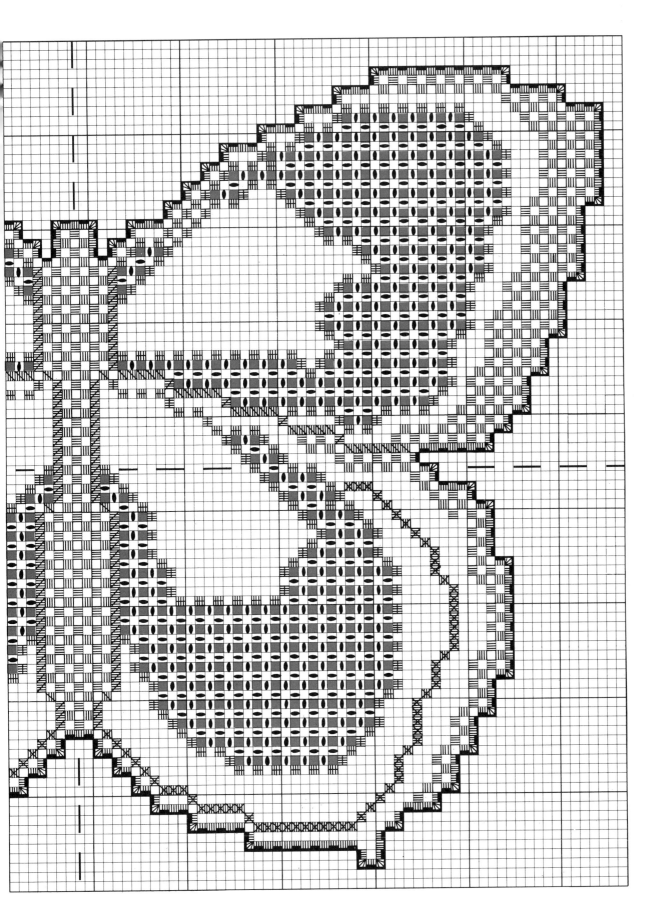

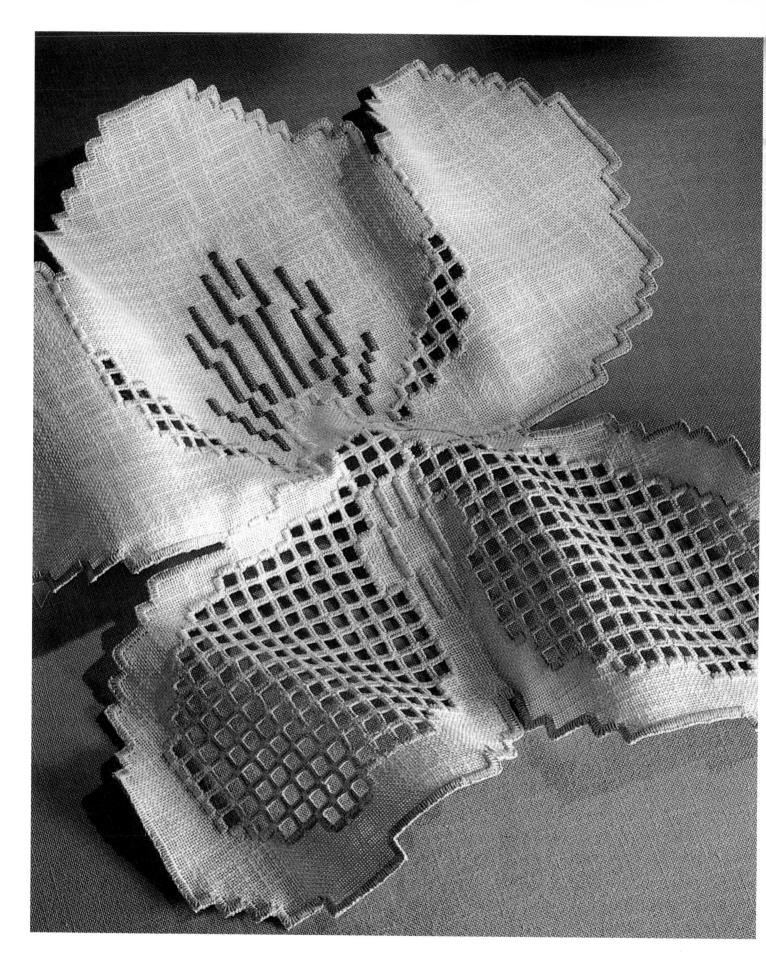

Tischsets

SET ORCHIDEE
Abb. Seite 38
ARIOSA 3711/559 flieder

Modellgröße: ca. 47 x 48 cm
Stickfeld: 87 x 89 Kästchen,
348 x 356 Gewebefäden
Stoffgröße: ca. 55 x 55 cm

SET DOTTERBLUME
Abb. Seite 39
ARIOSA 3711/226 gelb

Modellgröße: ca. 47 x 46 cm
Stickfeld: 87 x 85 Kästchen,
348 x 340 Gewebefäden
Stoffgröße: ca. 55 x 55 cm

SET MARGERITE
Abb. Seite 39
ARIOSA 3711/100 weiß

Modellgröße: ca. 50 x 50 cm
Stickfeld: 94 x 94 Kästchen,
376 x 376 Gewebefäden
Stoffgröße: ca. 60 x 60 cm

STICKGARN
Hardanger-Plattstich: Perlgarn 3
Umwicklungen: Perlgarn 5
Langettenrand: Perlgarn 5
Randbefestigung: Sticktwist 2-fädig
Spinnenstich: Sticktwist 2-fädig

Die Stickerei von der Mitte aus einteilen und die gestrichelten Mittellinien am besten mit einigen Heftstichen markieren.

ORCHIDEE

☐ 1 Kästchen = 4 Gewebefäden
▥ Plattstich: flieder
▦ Plattstich: sonnengelb
▤ Plattstich: dunkelviolett
▨ Plattstich: hellgrün
● Umwicklung: flieder
○ Umwicklung: gelb
■ ausschneiden
▧ Langettenrand: flieder

Weitere Zählvorlagen auf Seite 42 und 43

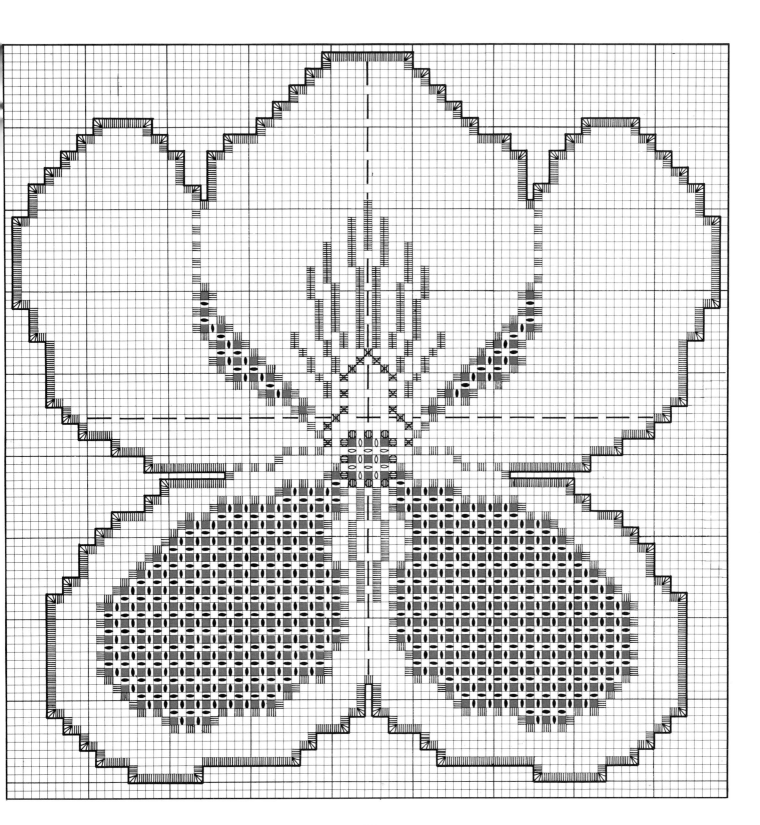

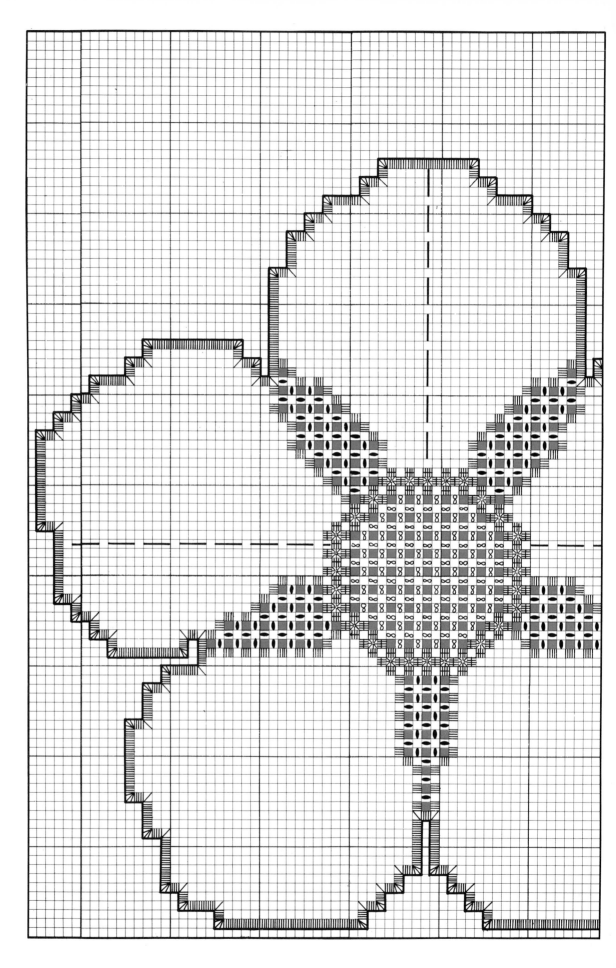

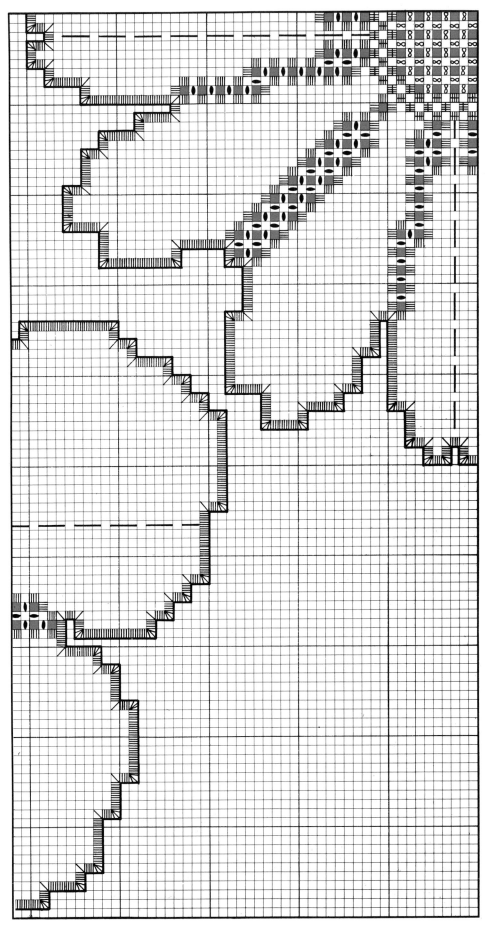

DOTTERBLUME

- □ 1 Kästchen = 4 Gewebefäden
- ⦀ Plattstich: sonnengelb
- ⧢ Plattstich: ockergelb
- ● Umwicklung: ocker
- ∞ Pikots: sonnengelb
- ▪ ausschneiden
- ▨ Langettenrand: sonnengelb
- ✳ Spinnenstich: orange

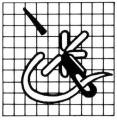

MARGERITE

- □ 1 Kästchen = 4 Gewebefäden
- ⦀ Plattstich: weiß
- ⧢ Plattstich: gelb
- ● Umwicklung: grau
- ∞ Pikots: ocker
- ▪ ausschneiden
- ▨ Langettenrand: weiß

Die Zählvorlage jeweils um ein Viertel drehen und an den gestrichelten Mittellinien ansetzen.

Zählvorlagen zu Seite 39 und 40

43

Motivdeckchen Obst

APFEL

ARIOSA 3711/632 hellgrün

Modellgröße: ca. 49 x 49 cm
Stoffgröße: ca. 60 x 60 cm
Stickfeld: 91 x 91 Kästchen,
364 x 364 Gewebefäden

BIRNE

ARIOSA 3711/226 maisgelb

Modellgröße: ca. 36 x 49 cm
Stoffgröße: ca. 50 x 60 cm
Stickfeld: 67 x 91 Kästchen,
268 x 364 Gewebefäden

PFLAUME

ARIOSA 3711/598

Modellgröße: ca. 38 x 49 cm
Stoffgröße: ca. 50 x 60 cm
Stickfeld: 71 x 91 Kästchen,
284 x 364 Gewebefäden

STICKGARN

Hardanger-Plattstich: Perlgarn 3
Umwicklungen: Perlgarn 5
Langettenrand: Perlgarn 5
vorsticken unter dem Langettenrand:
Sticktwist 2-fädig

Zählvorlagen auf Seite 46 bis 48

PFLAUME

1 Kästchen = 4 Gewebefäden

Zählvorlage zu Seite 44 und 45

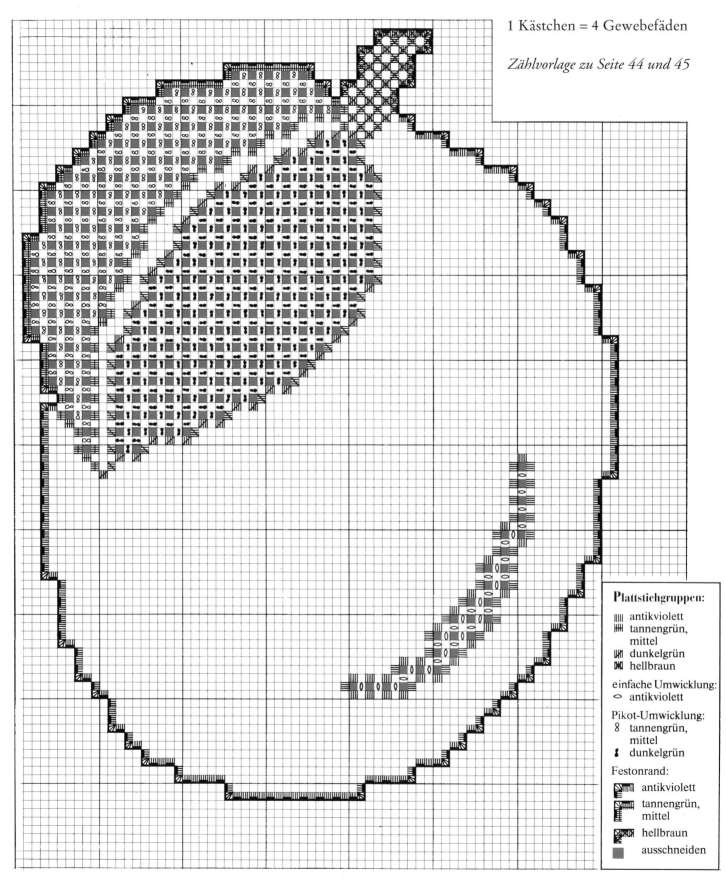

Plattstichgruppen:

IIII antikviolett

HHH tannengrün, mittel

dunkelgrün

hellbraun

einfache Umwicklung:
◦ antikviolett

Pikot-Umwicklung:
8 tannengrün, mittel

dunkelgrün

Festonrand:

antikviolett

tannengrün, mittel

hellbraun

ausschneiden

BIRNE

1 Kästchen = 4 Gewebefäden

Zählvorlage zu Seite 44 und 45

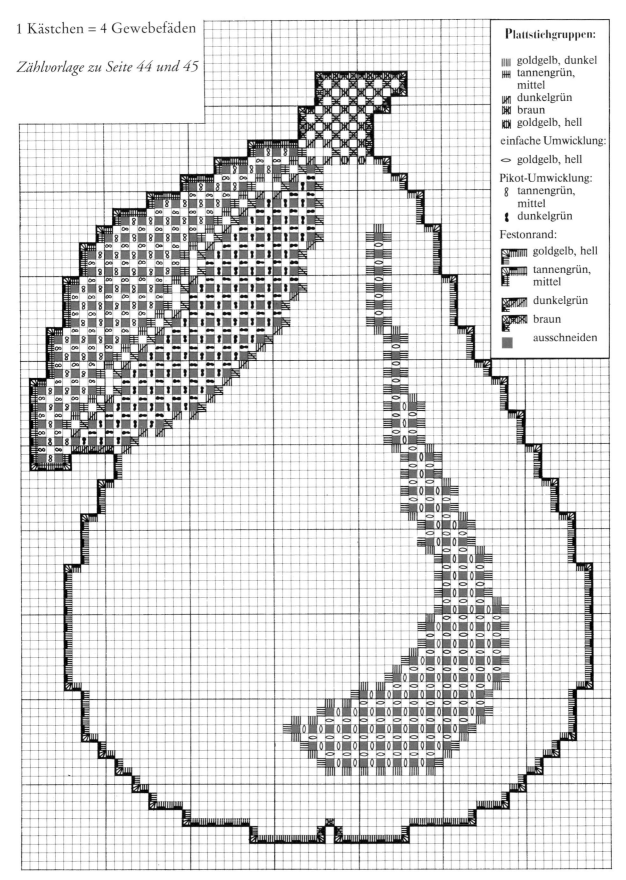

Plattstichgruppen:

|||| goldgelb, dunkel

⊞ tannengrün, mittel

⊠ dunkelgrün

⊠ braun

⊠ goldgelb, hell

einfache Umwicklung:

◠ goldgelb, hell

Pikot-Umwicklung:

8 tannengrün, mittel

❈ dunkelgrün

Festonrand:

⊠⊪ goldgelb, hell

⊠⊪ tannengrün, mittel

⊠⊪ dunkelgrün

⊠⊪ braun

■ ausschneiden

APFEL

1 Kästchen = 4 Gewebefäden

Zählvorlage zu Seite 44 und 45

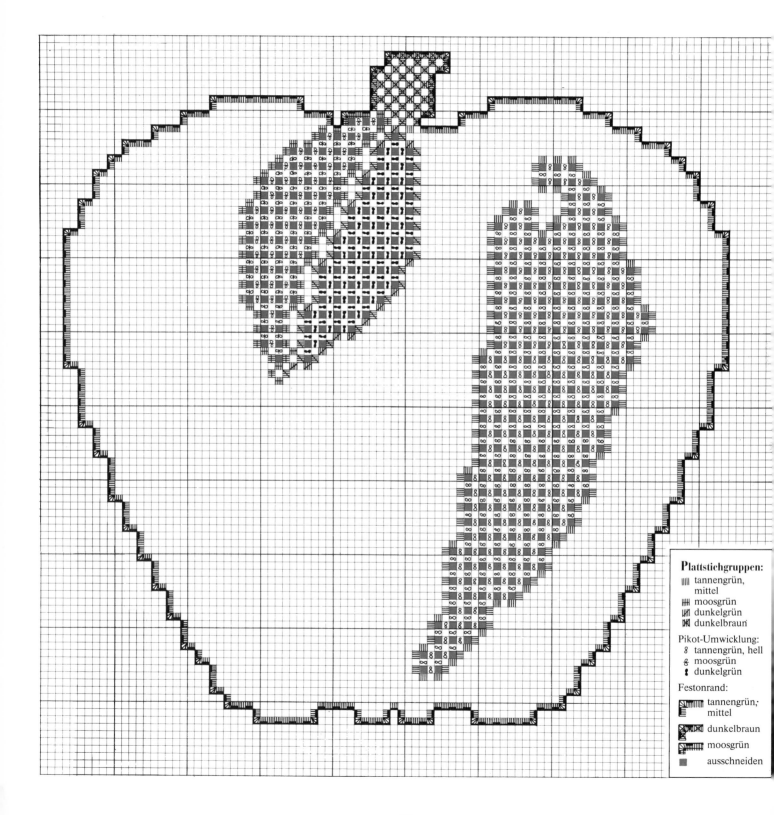

Plattstichgruppen:
- ||||| tannengrün, mittel
- ||||| moosgrün
- |||| dunkelgrün
- |||| dunkelbraun

Pikot-Umwicklung:
- 8 tannengrün, hell
- 8 moosgrün
- 8 dunkelgrün

Festonrand:
- ||||| tannengrün, mittel
- ||||| dunkelbraun
- ||||| moosgrün
- ■ ausschneiden

Kästchen = 4 Gewebefäden

Zählvorlage zu Seite 50 und 51

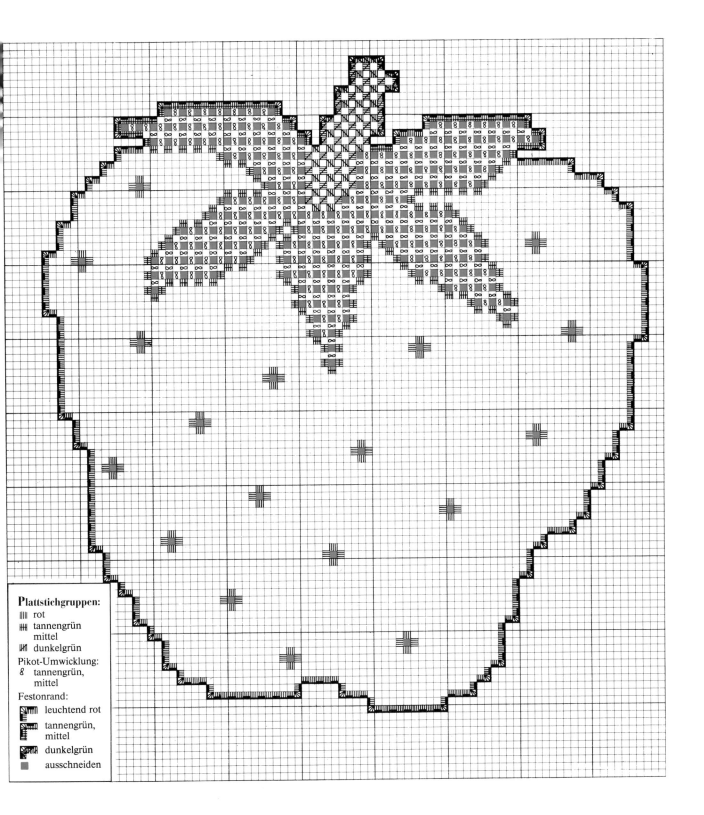

Plattstichgruppen:
IIII rot
HHH tannengrün
mittel
HHI dunkelgrün
Pikot-Umwicklung:
8 tannengrün,
mittel
Festonrand:
 leuchtend rot
 tannengrün,
mittel
 dunkelgrün
 ausschneiden

ERDBEERE
ARIOSA 3711/931 rot

Modellgröße: ca. 44 x 48 cm
Stoffgröße: ca. 55 x 60 cm
Stickfeld: 83 x 89 Kästchen,
332 x 356 Gewebefäden

STICKGARN
Hardanger-Plattstich: Perlgarn 3
Umwicklungen: Perlgarn 5
Langettenrand: Perlgarn 5
vorsticken unter dem Langettenrand:
Sticktwist 2-fädig

Zählvorlage auf Seite 49

Läufer

TISCHLÄUFER IN FLIEDER
ARIOSA 3711/559 flieder

Modellgröße: ca. 94 x 57 cm
Stoffbedarf: ca. 110 x 70 cm
Stickfeld: 175 x 107 Kästchen,
700 x 428 Gewebefäden

Zählvorlage auf Seite 54 und 55

TISCHLÄUFER IN ALTROSA
ARIOSA 3711/436 altrosa

Modellgröße: ca. 100 x 60 cm
Stoffbedarf: ca. 115 x 75 cm
Stickfeld: 187 x 111 Kästchen,
748 x 444 Gewebefäden

Zählvorlage auf Seite 56 und 57

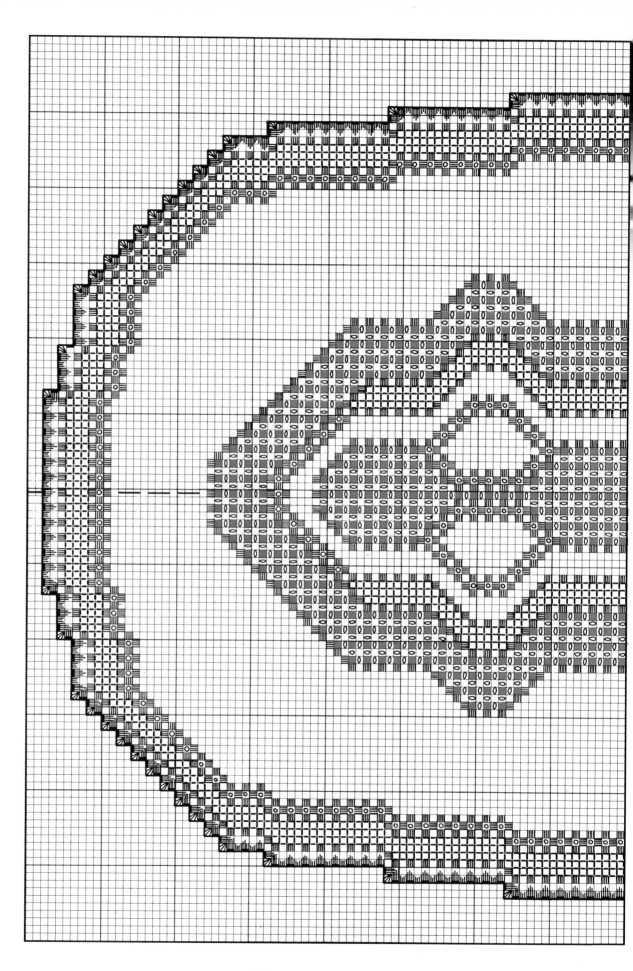

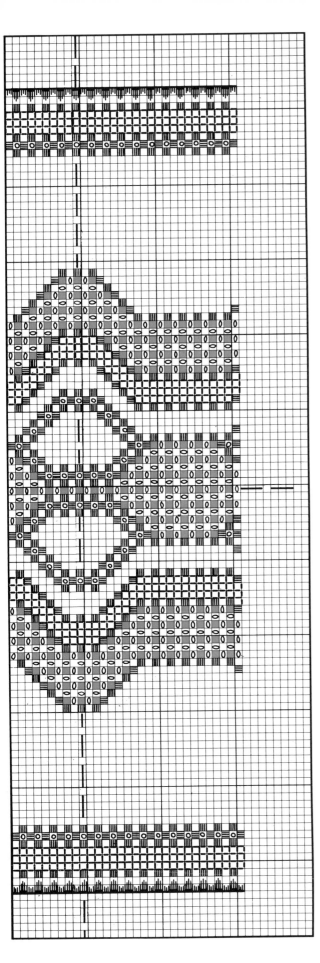

TISCHLÄUFER IN FLIEDER

- ☐ 1 Kästchen = 4 Gewebefäden
- Langettenrand mit Zackenfigur: Perlgarn 5, flieder vorsticken: Sticktwist 2-fädig, flieder
- ⫼⫼ Hardanger-Plattstich: Perlgarn 3, flieder
- ○ Spinnenstich 2: Perlgarn 8, flieder
- ✪ Kästchenstich: Perlgarn 5, flieder
- ○ paarweise Umwicklung: Perlgarn 8, flieder
- ■ ausschneiden

Detailzeichnung: Langettenrand (rote Stiche = vorsticken)

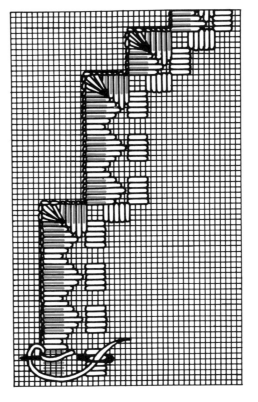

Zählvorlage zu Seite 52

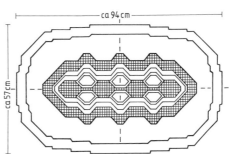

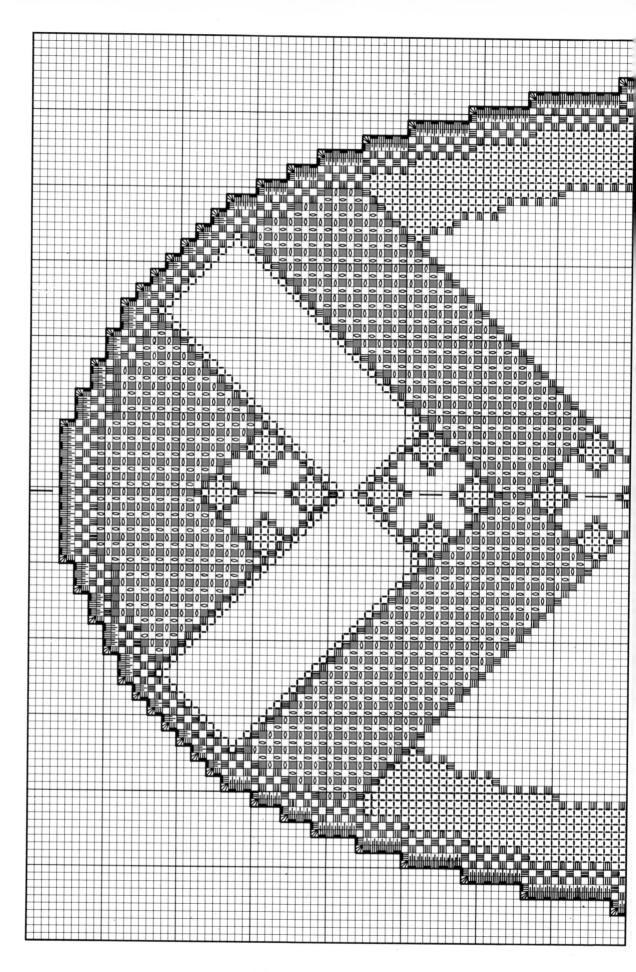

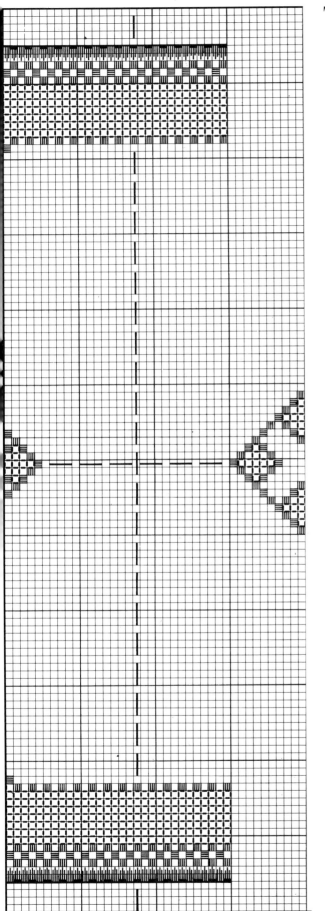

Tischläufer in Altrosa

- ☐ 1 Kästchen = 4 Gewebefäden
- 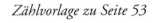 Langettenrand mit Zackenfigur: Perlgarn 5, rosa
  vorsticken: Sticktwist 2-fädig, rosa
- ⫼ Hardanger-Plattstich: Perlgarn 3, rosa
- ○ paarweise Umwicklung: Perlgarn 8, rosa
- ☮ Kästchenstich: Perlgarn 5, rosa
- ▪ ausschneiden

Detailzeichnung: Langettenrand (rote Stiche = vorsticken)

Zählvorlage zu Seite 53

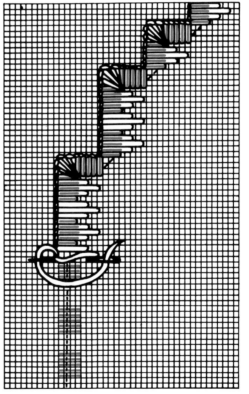

DECKE IN ROSA
BELLANA 3256/430 rosa

Modellgröße: ca. 83,5 x 83,5 cm
Stoffbedarf: ca. 100 x 100 cm
Stickfeld: 167 x 167 Kästchen,
668 x 668 Gewebefäden
Mustersatz Festonbogen: 24 Kästchen =
ca. 12 cm

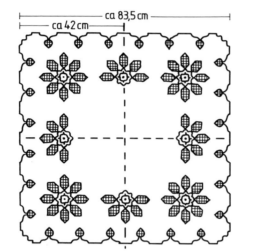

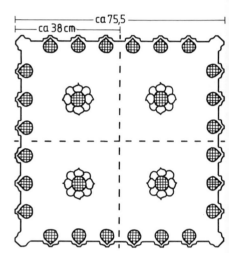

DECKE IN FLIEDER
BELLANA 3256/441 flieder

Modellgröße: ca. 75,5 x 75, 5 cm
Stoffbedarf: ca. 90 x 90 cm
Stickfeld: 151 x 151 Kästchen,
604 x 604 Gewebefäden
Mustersatz Festonbogen: 20 Kästchen =
ca. 10 cm

Die beiden Mitteldecken und die folgenden Modelle der Seiten 63, 65, 66 und 70 haben besonders verzierte Ränder, die sich im Mustersatz wiederholen. Hardanger-Blüten und Blattformen grenzen unmittelbar an Festonbögen an. Um dies gut darstellen zu können, sind alle Modelle als Mitteldecken ausgeführt. Sie können jedoch Maße verändern, in dem Sie Festonbögen hinzufügen oder weglassen und die Mittelmotive beliebig neu verteilen.

Aus allen Designs können außer größeren Decken auch Läufer und kleine Deckchen gearbeitet werden. Um maßgerechte Veränderungen des Modells zu erleichtern, sind die Festonbogensätze mit Pfeilen gekennzeichnet und die cm-Maße angegeben. Die Stickerei von der Mitte her einteilen und zuerst den Festonrand mit Sticktwist rundum festlegen. Sie müssen am Ausgangspunkt wieder anschließen und sind dadurch sicher, daß Sie sich nicht verzählt haben (siehe: Befestigter Langettenrand, Seite 16).

Zählvorlagen auf Seite 60 und 61

DECKE IN ROSA

☐ 1 Kästchen = 4 Gewebefäden

▤ Festonrand: Perlgarn 5, rosa
vorsticken: Sticktwist 2-fädig, rosa

▥ Hardanger-Plattstich: Perlgarn 5,
rosa

▦ Zier-Plattstich: Sticktwist
4-fädig, flieder
ausschneiden

▨ einfache Umwicklung: Perlgarn 5, weiß

◆ Schlingenstich-Füllung: Sticktwist 2-fädig, flieder

✕ Spinnenstich: Sticktwist 2-fädig,
beige

Zählvorlage zu Seite 58 und 59

DECKE IN FLIEDER

☐ 1 Kästchen = 4 Gewebefäden

▨ Festonrand: Perlgarn 5, rosa
vorsticken: Sticktwist 2-fädig,
flieder

▥ Hardanger-Plattstich: Perlgarn 5,
rosa

◼ ausschneiden

8 Pikot-Umwicklung: Perlgarn 5,
rosa

✐ Rückstichlinien: Sticktwist 6-fä-
dig, creme

Von rechts nach links arbeiten und auf
der Rückseite über 2 Stiche sticken.

Zählvorlage zu Seite 58 und 59

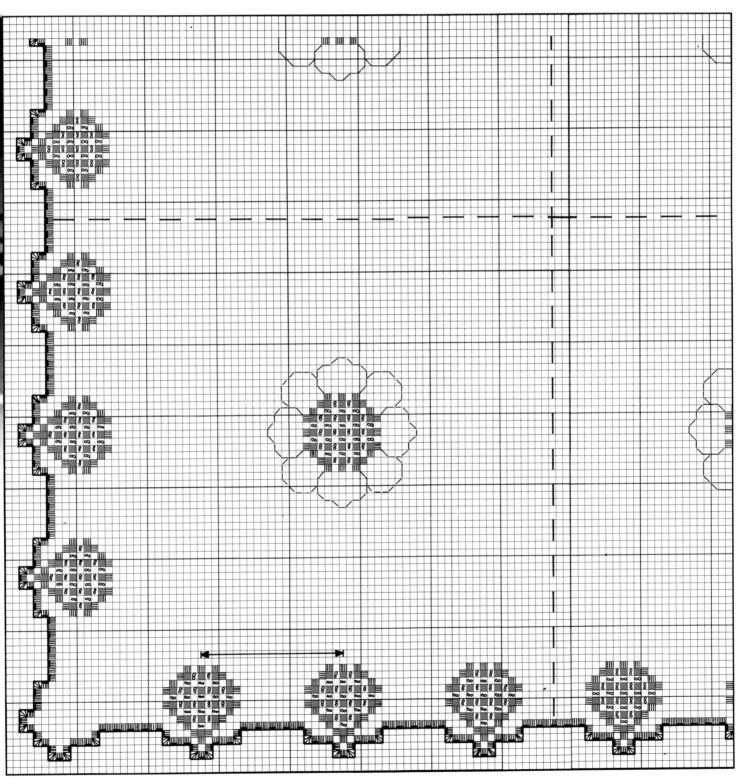

61

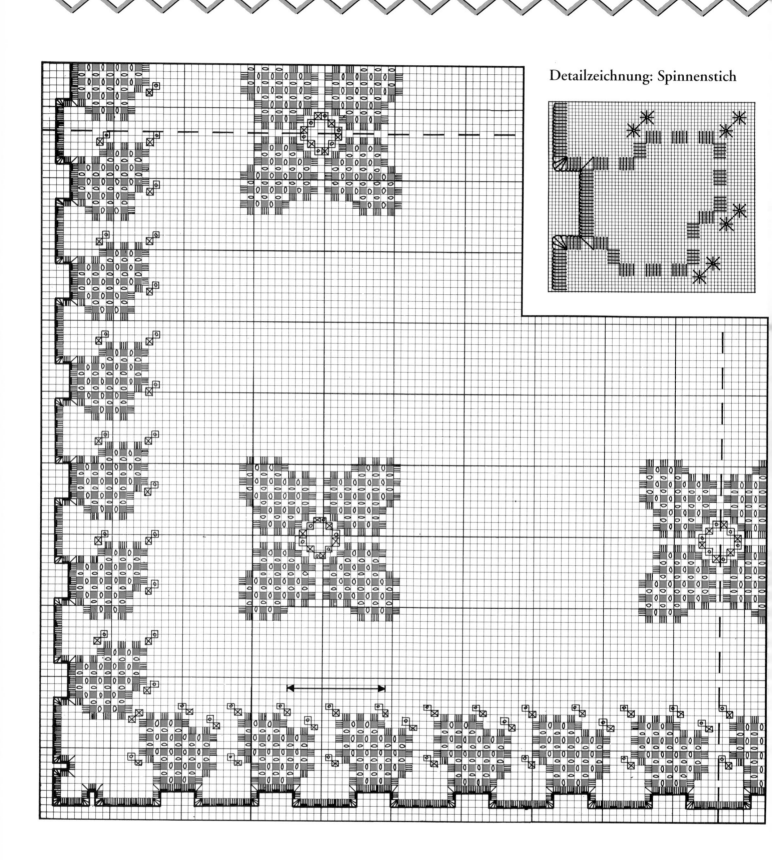

Detailzeichnung: Spinnenstich

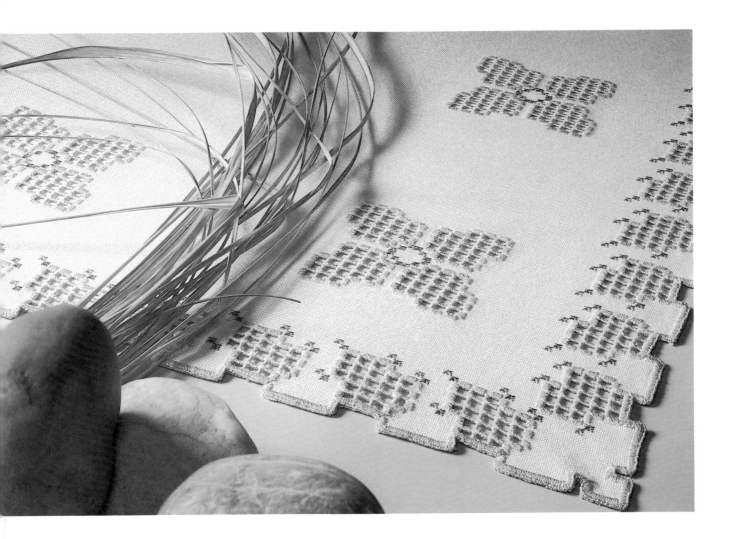

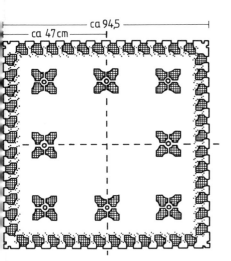

DECKE IN CREME
BELLANA 3256/264 creme

Modellgröße: ca. 94,5 x 94,5 cm
Stoffbedarf: ca. 110 x 110 cm
Stickfeld: 189 x 189 Kästchen,
756 x 756 Gewebefäden
Mustersatz Festonbogen:
14 Kästchen = ca. 7 cm

☐ 1 Kästchen = 4 Gewebefäden

▨ Festonrand: Perlgarn 5, beige
vorsticken: Sticktwist 2-fädig,
creme

▥ Hardanger-Plattstich: Perlgarn 5,
beige

▪ ausschneiden

◊ einfache Umwicklung: Perlgarn 5, beige

⊠ Spinnenstich: Sticktwist 3-fädig,
dunkelbeige

⊡ Spinnenstich: Sticktwist 3-fädig,
graublau

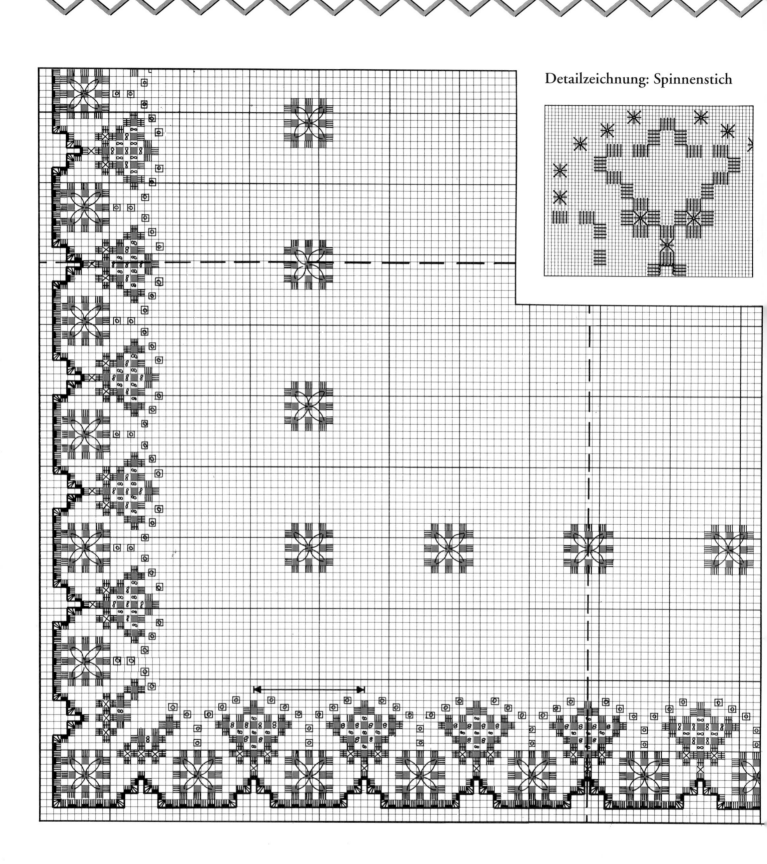

Detailzeichnung: Spinnenstich

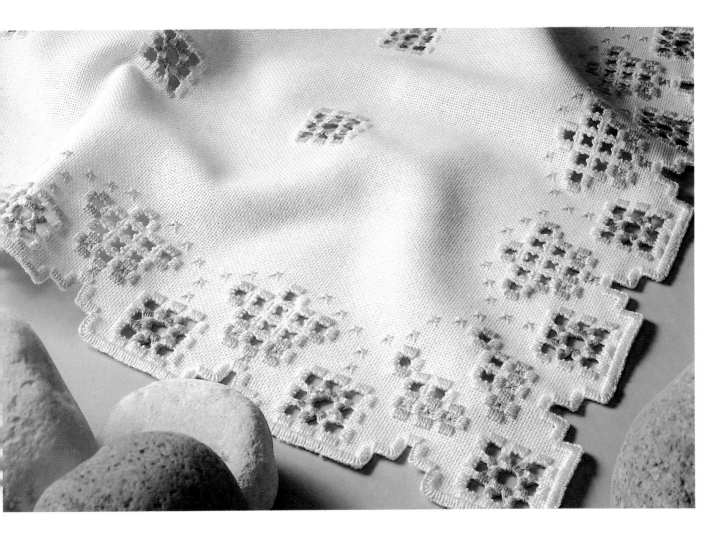

DECKE IN HELLBEIGE
BELLANA 3256/101 eierschale

Modellgröße: ca. 76,5 x 76,5 cm
Stoffbedarf: ca. 90 x 90 cm
Stickfeld: 153 x 153 Kästchen,
612 x 612 Gewebefäden
Mustersatz Festonbogen: 16 Kästchen
= ca. 8 cm

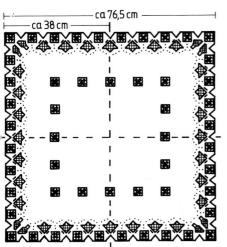

□ 1 Kästchen = 4 Gewebefäden

Festonrand: Perlgarn 5, creme
vorsticken: Sticktwist 2-fädig,
eierschale

||||| Hardanger-Plattstich: Perlgarn 5,
creme

卌 Hardanger-Plattstich: Perlgarn 5,
rosa

■ ausschneiden

8 Pikot-Umwicklung: Perlgarn 5,
creme

ꝋ Füllstich-Umwicklung: Sticktwist 6-fädig, flieder

⊠ Spinnenstich: Sticktwist 2-fädig,
flieder

◉ Spinnenstich: Sticktwist 2-fädig,
rosa

DECKE KLEEBLÄTTER
BELLANA 3256/430 rosa

Modellgröße: ca. 93,5 x 93,5 cm
Stoffbedarf: ca. 110 x 110 cm
Stickfeld: 187 x 187 Kästchen,
748 x 748 Gewebefäden
Mustersatz Festonbogen: 30 Kästchen =
ca. 15 cm

Zählvorlage auf Seite 68

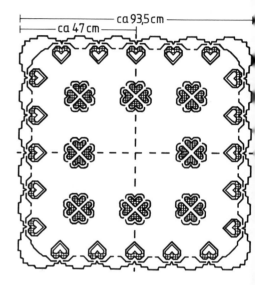

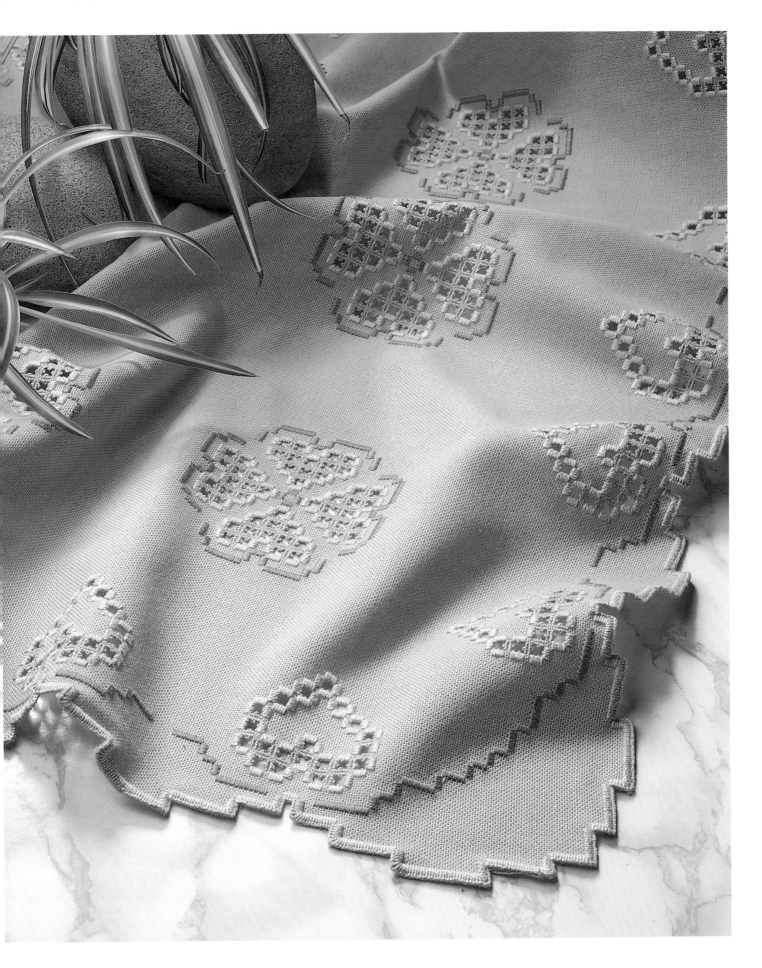

DECKE KLEEBLÄTTER

☐ 1 Kästchen = 4 Gewebefäden

Festonrand: Perlgarn 5, rosa
vorsticken: Sticktwist 2-fädig,
rosa

||||| Hardanger-Plattstich: Perlgarn 5,
rosa

||||| Zier-Plattstich: Sticktwist 4-fä-
dig, dunkelflieder

■ ausschneiden

◊ Pikot-Umwicklung: Sticktwist
3-fädig, hellflieder

Zählvorlage zu Seite 66 und 67

DECKE ZACKEN

- ☐ 1 Kästchen = 4 Gewebefäden
- ◪ Festonrand: Perlgarn 5, creme
- ◪ vorsticken: Sticktwist 2-fädig, creme
- ◪ Hardanger-Plattstich: Perlgarn 5, creme

- ◼ ausschneiden
- ₀ einfache Umwicklung: Perlgarn 5, graublau
- | Spannstich: Perlgarn 5, graublau

Zählvorlage zu Seite 70 und 71

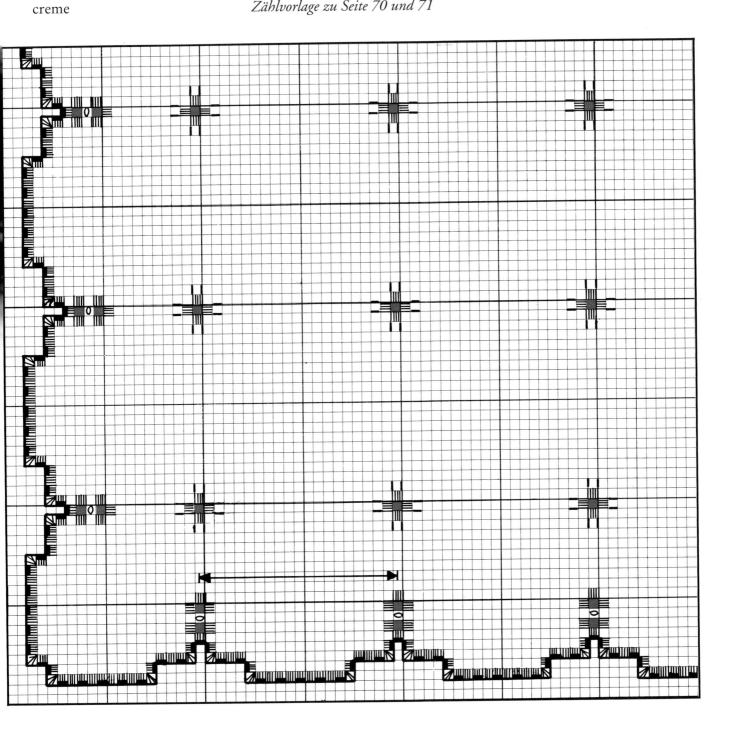

69

Decke Zacken
(unten)
BELLANA 3256/264 creme

Modellgröße: ca. 87,5 x 87,5 cm
Stoffbedarf: ca. 100 x 100 cm
Stickfeld: 175 x 175 Kästchen,
700 x 700 Gewebefäden
Mustersatz Festonbogen: 20 Kästchen =
ca. 10 cm

Zählvorlage auf Seite 69

Decke Blätter
(oben)
BELLANA 3256/430 rosa

Modellgröße: ca. 93,5 x 93,5 cm
Stoffbedarf: ca. 110 x 110 cm
Stickfeldgröße: 187 x 187 Kästchen,
748 x 748 Gewebefäden
Mustersatz Festonbogen: 14 Kästchen =
ca. 7 cm

Zählvorlage auf Seite 72

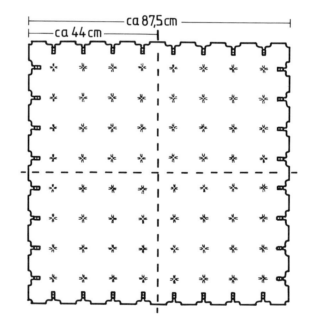

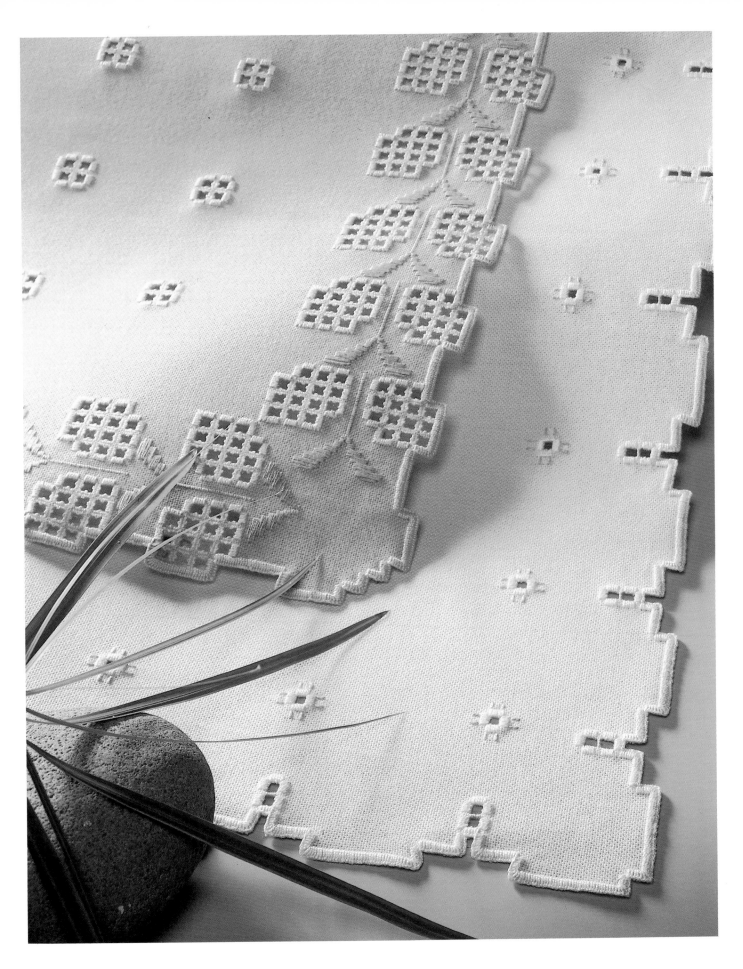

71

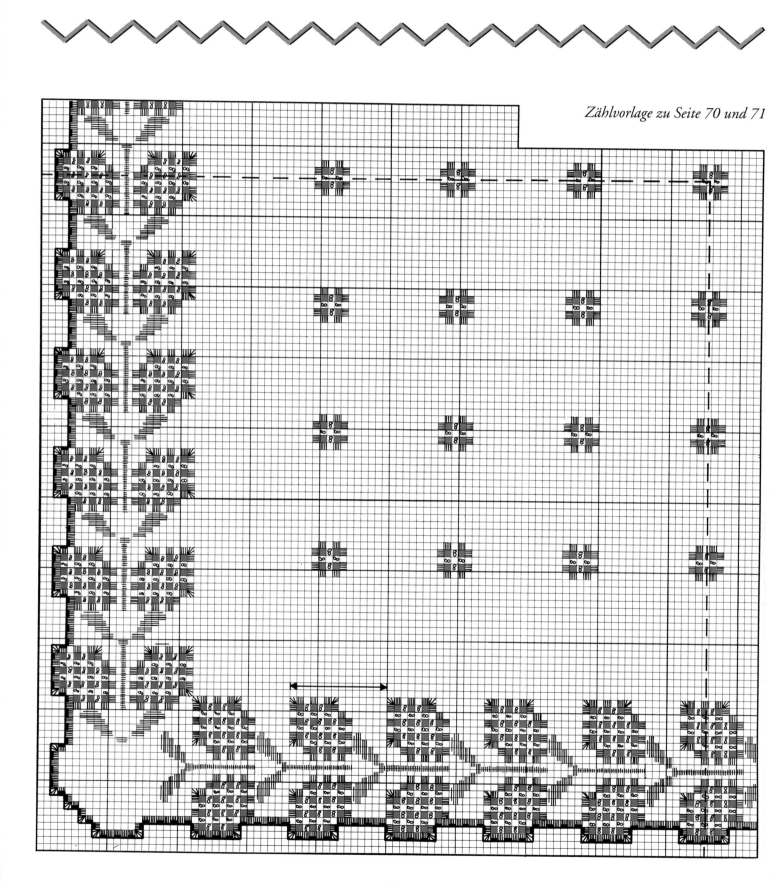

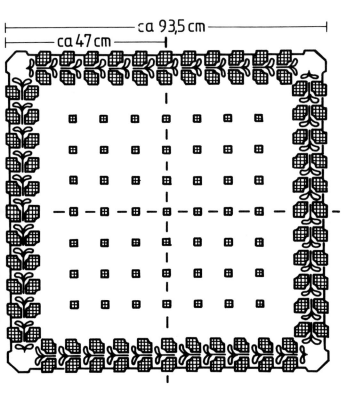

DECKE BLÄTTER

- ☐ 1 Kästchen = 4 Gewebefäden
- Festonrand: Perlgarn 5, rosa vorsticken: Sticktwist 2-fädig, rosa
- |||| Hardanger-Plattstich: Perlgarn 5, rosa
- ▓ ausschneiden
- 8 Pikot-Umwicklung: Sticktwist 3-fädig, hellrosa
- ≡≡ Plattstichblätter: Sticktwist 4-fädig, flieder

Detailzeichnung: Plattstichblätter

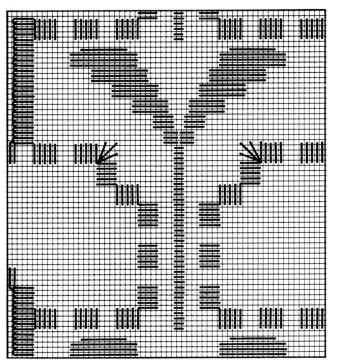

Rustikale Mitteldecke mit Unterdecke

Unterdecke
ARIOSA 3711/99 creme

Modellgröße: ca. 130 x 130 cm
Stoffbedarf: ca. 140 x 150 cm
Stickfeld: 233 x 233 Kästchen,
932 x 932 Gewebefäden
Mustersatzpfeil: 16 Kästchen = ca. 8,5 cm
Saumbreite: ca. 2,5 cm =
3 x 20 Gewebefäden

Mitteldecke
ARIOSA 3711/99 creme

Modellgröße: ca. 82 x 82 cm
Stoffbedarf: ca. 100 x 100 cm
Stickfeld: 141 x 141 Kästchen =
ca. 76 cm, 564 x 564 Gewebefäden
Mustersatzpfeil: 16 Kästchen = ca. 8,5 cm
Saumbreite: ca. 2,5 cm =
3 x 20 Gewebefäden

Die Decken von der Mitte aus einteilen, und die Mittellinie am besten mit Heftstichen markieren. Sie sind in den Zählvorlagen durch gestrichelte Linien gekennzeichnet.

Zählvorlagen auf Seite 76, 77 und 78

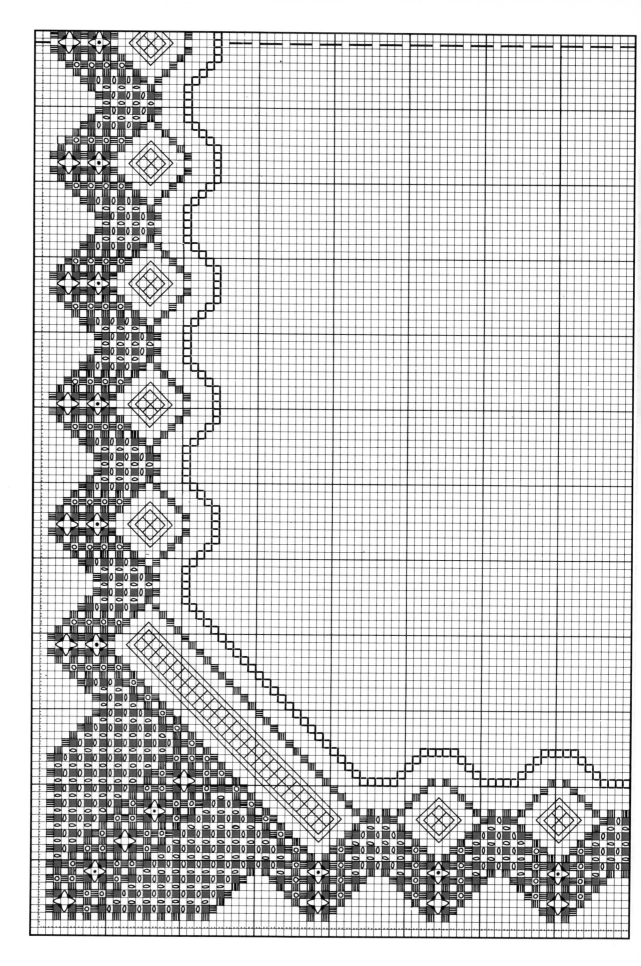

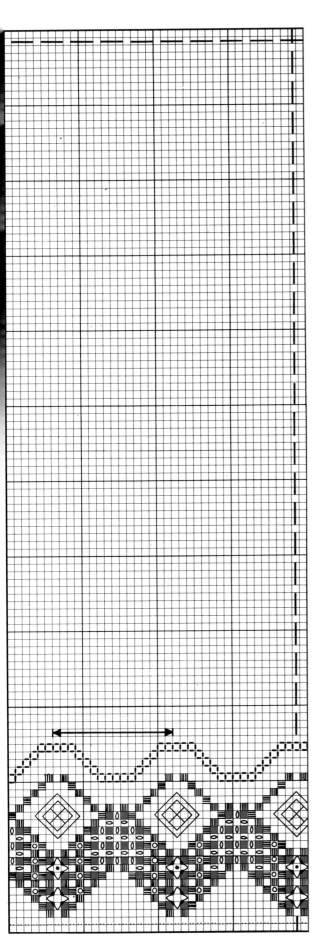

Unterdecke

□ 1 Kästchen = 4 Gewebefäden

IIII Hardanger-Plattstich: Perlgarn 3, creme

o paarweise Umwicklung: Perlgarn 8, creme

◻ Kästchenstich: Perlgarn 5, creme

o Spinnenstich 1: Perlgarn 5, creme

⊙ Spinnenstich 2: Sticktwist 3-fädig; kupfer, hell

⊗ Spinnenstich 2: Sticktwist 3-fädig; kupfer, dunkel

◈ Plattstichmotiv mit parallelem Rückstich: Perlgarn 5, creme

◇ Malteserkreuz: Sticktwist 3-fädig; kupfer, hell

◆ Malteserkreuz: Sticktwist 3-fädig; kupfer, dunkel

■ ausschneiden

.... Hohlsaumreihe: Perlgarn 8, creme

*Zählvorlage zu
Seite 74 und 75*

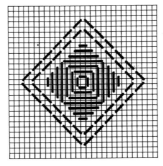

**Detailzeichnung:
Plattstichmotiv
mit parallelem
Rückstich**

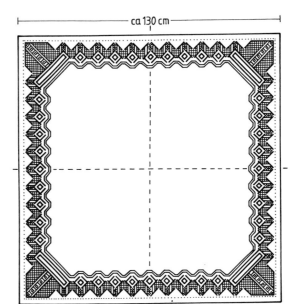

ca 130 cm

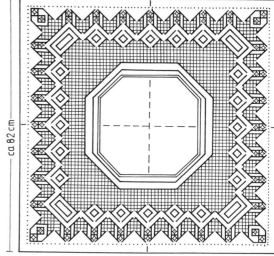

MITTELDECKE

Zeichenerklärung für die Zählvorlage
auf Seite 77

Zählvorlage zu Seite 74 und 75

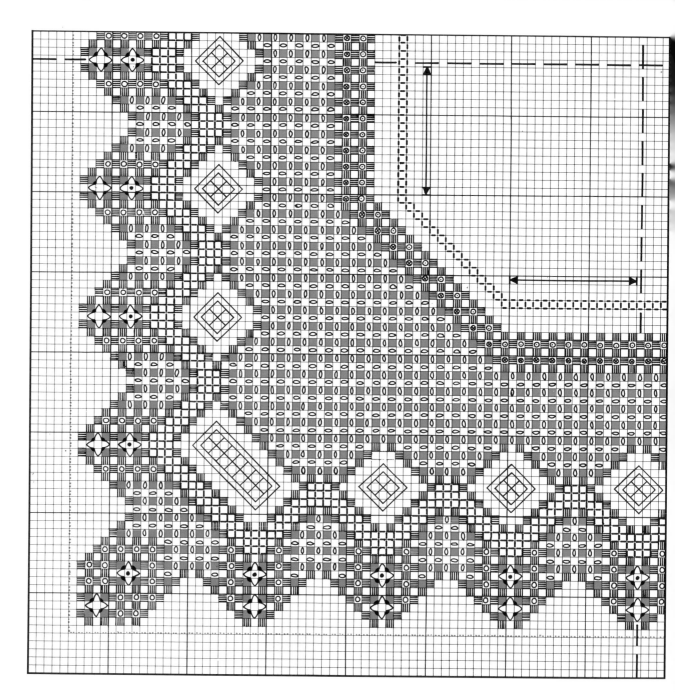

DECKE IN GRÜN

ARIOSA 3711/632 grün

Modellgröße: ca. 80 x 80 cm
Stoffbedarf: ca. 90 x 90 cm
Stickfeld: 536 x 536 Gewebefäden =
ca. 72 x 72 cm
Mustersatzpfeil: 72 Gewebefäden =
ca. 10 cm
Saumbreite: ca. 2 cm = 3 x 15 Gewebe-
fäden

Zählvorlage auf Seite 80 und 81

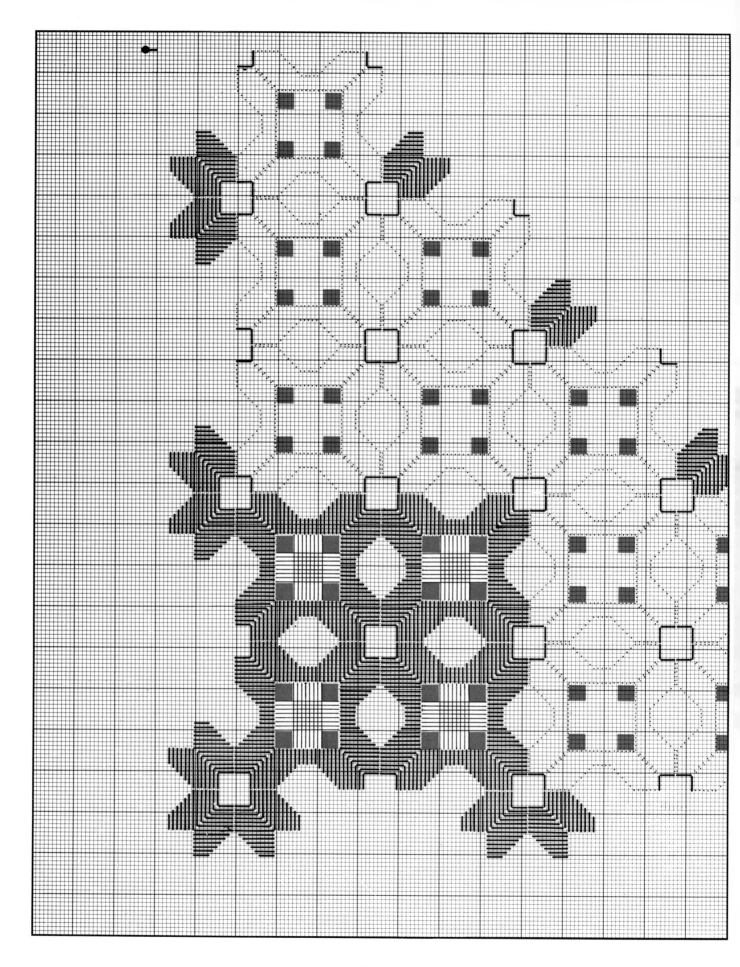

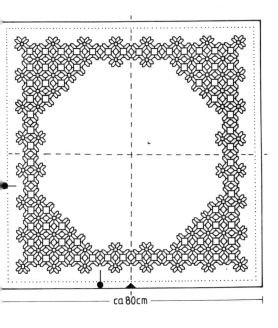

DECKE IN GRÜN

1 KAROLINIE =
1 GEWEBEFADEN
**1 Malteserkreuz-Motiv =
36 x 36 Gewebefäden
(Detailzeichnung siehe Seite
13, unten)
Plattstich: Perlgarn 3,
mittelgrün
Umwicklungen: Sticktwist
3-fädig, mittelgrün
Hohlsaumreihe: Sticktwist
3-fädig, mittelgrün**

Zählvorlage zu Seite 79

Die 4 Malteserkreuzmotive in der
Ecke sind in Einzelstichen dargestellt, gleichzeitig ist gezeigt, wie für
die Umwicklungen ausgeschnitten
wird. Die Motivwiederholungen sind
zur besseren Übersicht durch Punkte
der Einstichstellen gekennzeichnet.
Halbe und viertel Sterne sind stich-
weise gekennzeichnet.

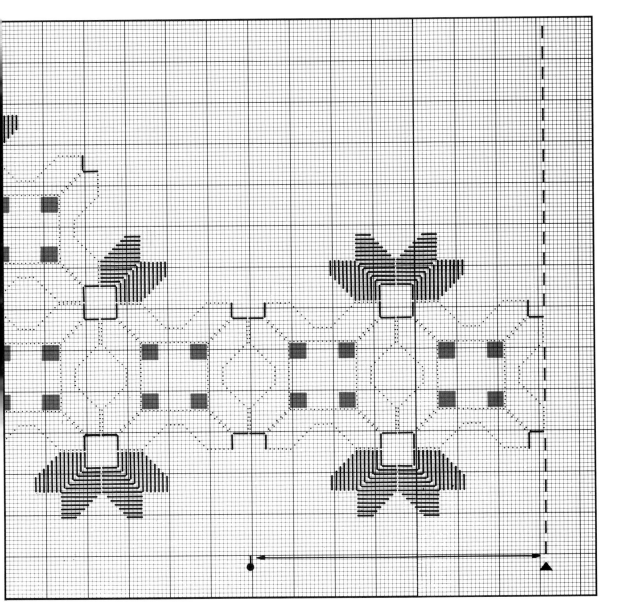

Fortsetzung der Zählvorlage auf Seite 84

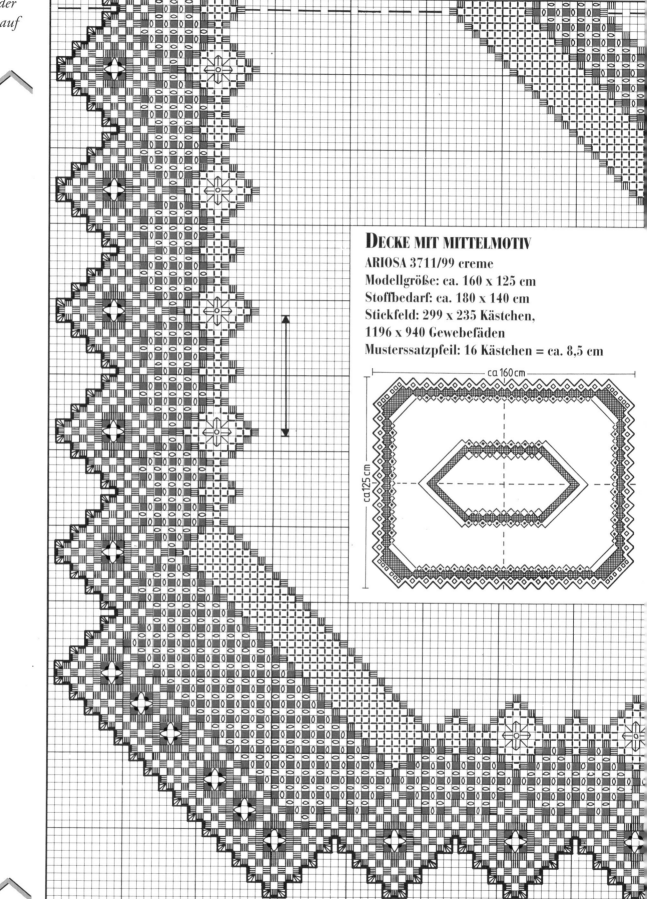

DECKE MIT MITTELMOTIV
ARIOSA 3711/99 creme
Modellgröße: ca. 160 x 125 cm
Stoffbedarf: ca. 180 x 140 cm
Stickfeld: 299 x 235 Kästchen,
1196 x 940 Gewebefäden
Musterssatzpfeil: 16 Kästchen = ca. 8,5 cm

Tischdecken

Fortsetzung der Zählvorlage zu Seite 82 und 83

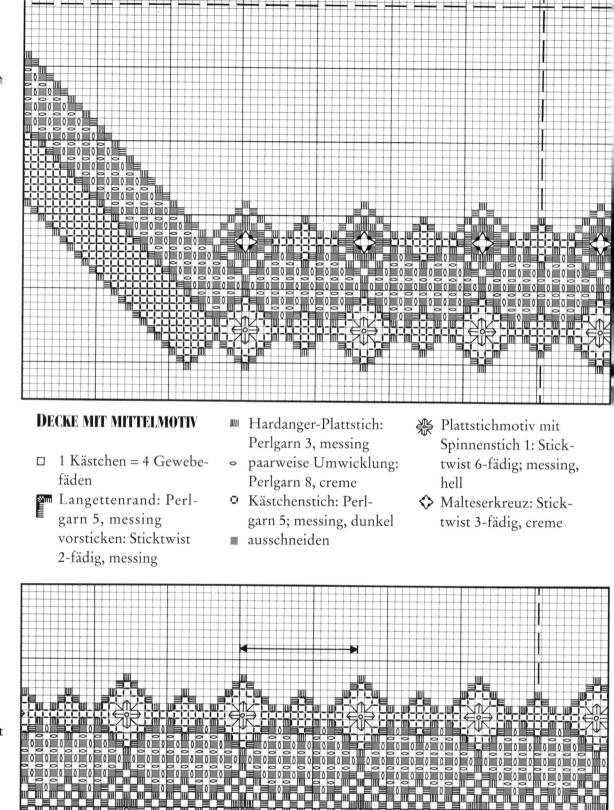

DECKE MIT MITTELMOTIV

- □ 1 Kästchen = 4 Gewebe-fäden
- ⌐ Langettenrand: Perl-garn 5, messing vorsticken: Sticktwist 2-fädig, messing

- ⫴ Hardanger-Plattstich: Perlgarn 3, messing
- ∘ paarweise Umwicklung: Perlgarn 8, creme
- ⧆ Kästchenstich: Perl-garn 5; messing, dunkel
- ■ ausschneiden

- ✳ Plattstichmotiv mit Spinnenstich 1: Stick-twist 6-fädig; messing, hell
- ◈ Malteserkreuz: Stick-twist 3-fädig, creme

**Detailzeichnung:
Plattstichmotiv mit
Spinnenstich 1**

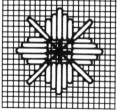

DECKE IN WEISS
ARIOSA 3711/100 weiß

Modellgröße: ca. 165 x 100 cm
Stoffbedarf: ca. 180 x 115 cm
Stickfeld: 988 x 188 Fäden =
ca. 131 x 25 cm
Mustersatzpfeil: 72 Gewebefäden =
ca. 10 cm

Zählvorlage auf Seite 86 und 87

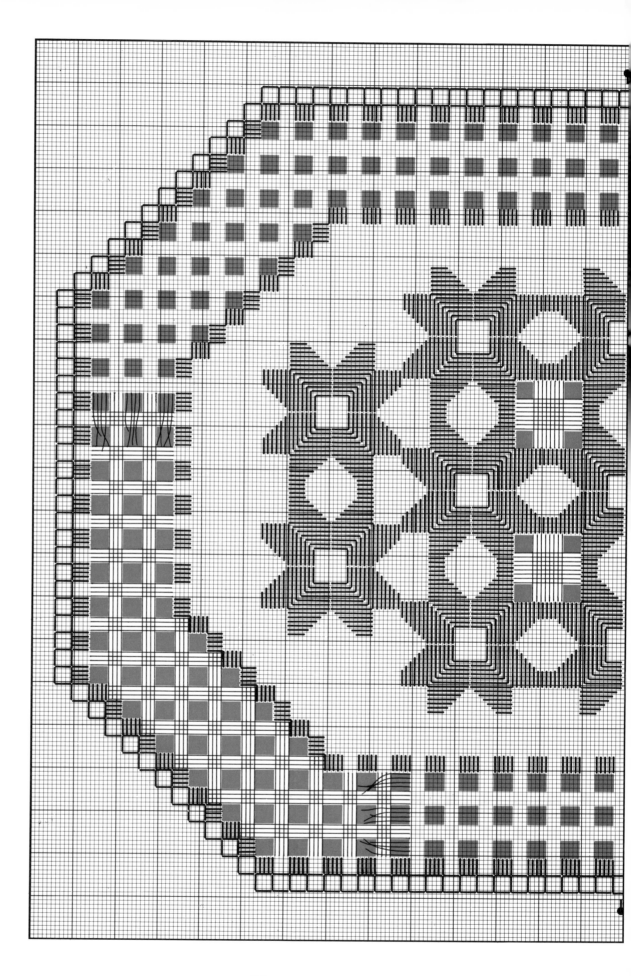

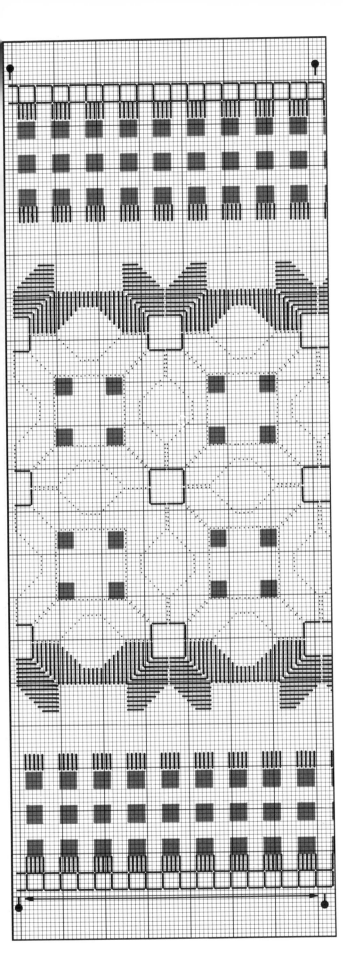

DECKE IN WEISS

1 KAROLINIE = 1 GEWEBEFADEN
1 Malteserkreuz-Motiv =
36 x 36 Gewebefäden
Plattstich: Perlgarn 3, weiß
Malteserkreuz-Umwicklung: Sticktwist
3-fädig, mittelgrün
paarweise Hardangerumwicklung:
Perlgarn 8, weiß
Kästchenstich: Perlgarn 5, weiß
Saumwicklung: Sticktwist 3-fädig,
mittelgrün

Auf der Seite gegenüber ist das Muster komplett in Einzelstichen dargestellt, gleichzeitig ist gezeigt, wie ausgeschnitten wird. Bei der Musterwiederholung auf dieser Seite sind zur besseren Übersicht die Einstichstellen durch Punkte gekennzeichnet. Diesen Mustersatz 10 mal wiederholen und das Ende gegengleich arbeiten. Beim Hardangergitter rundherum die 4 Gewebefäden in paarweisen Stegumwicklungen bündeln.
Im Abstand von 260 Fäden an den Längsseiten und 108 Fäden an den Schmalseiten für die Saumstege je 4 Gewebefäden ausziehen und Saumstege (s. Seite 17) arbeiten.

Malteserkreuz Einzelmotiv siehe Seite 13
Zählvorlage zu Seite 85

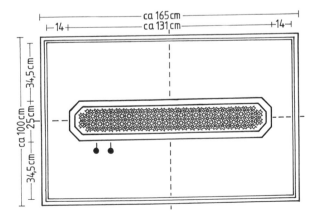

Kissen Weihnachtsmotive

KISSEN STERN
BELLANA 3256/118 gold

Modellgröße: ca. 40 x 40 cm
Stickfeld: 61 x 61 Kästchen =
244 x 244 Gewebefäden
Stickfeldgröße: ca. 30,5 x 30,5 cm

KISSEN GLOCKE
BELLANA 3256/17 silber

Modellgröße: ca. 40 x 40 cm
Stickfeld: 59 x 60 Kästchen =
236 x 240 Gewebefäden
Stickfeldgröße: ca. 29,5 x 30 cm

Zählvorlage auf Seite 90

- ☐ 1 Kästchen = 4 Gewebefäden
- ▥ Plattstich: Perlgarn 5, rot/creme
- ▥ Plattstich: Goldbändchen
- ➤ Umwicklung: Goldzwirn/ Perlgarn 8, creme
- ✧ Schlingenstichfüllung: Goldzwirn/ Perlgarn 8, creme
- ■ ausschneiden

Detailzeichnung:
1 Linie = 1 Gewebefaden

GLOCKE

□ 1 Kästchen = 4 Gewebefäden

||||| Plattstich: Gold-/Silberbändchen

▬ Umwicklung: Goldzwirn/Perl-
garn 8, weiß

■ ausschneiden

Zählvorlage zu Seite 88, 89 und 92, 93

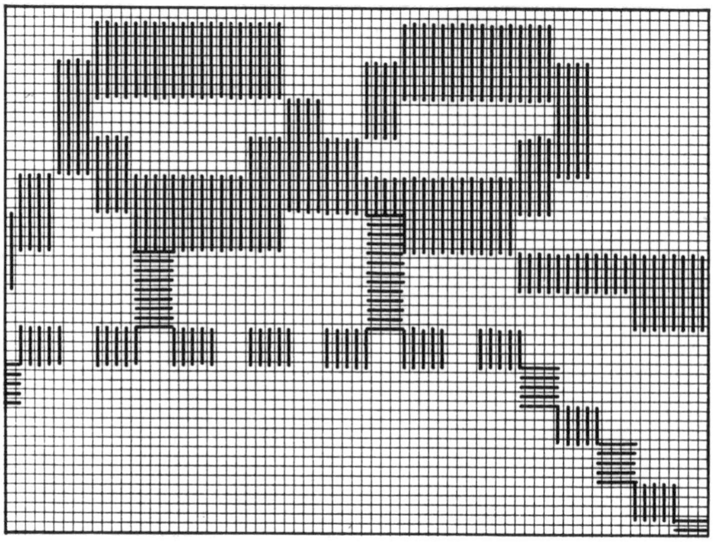

Detailzeichnung:
1 Linie = 1 Gewebefaden

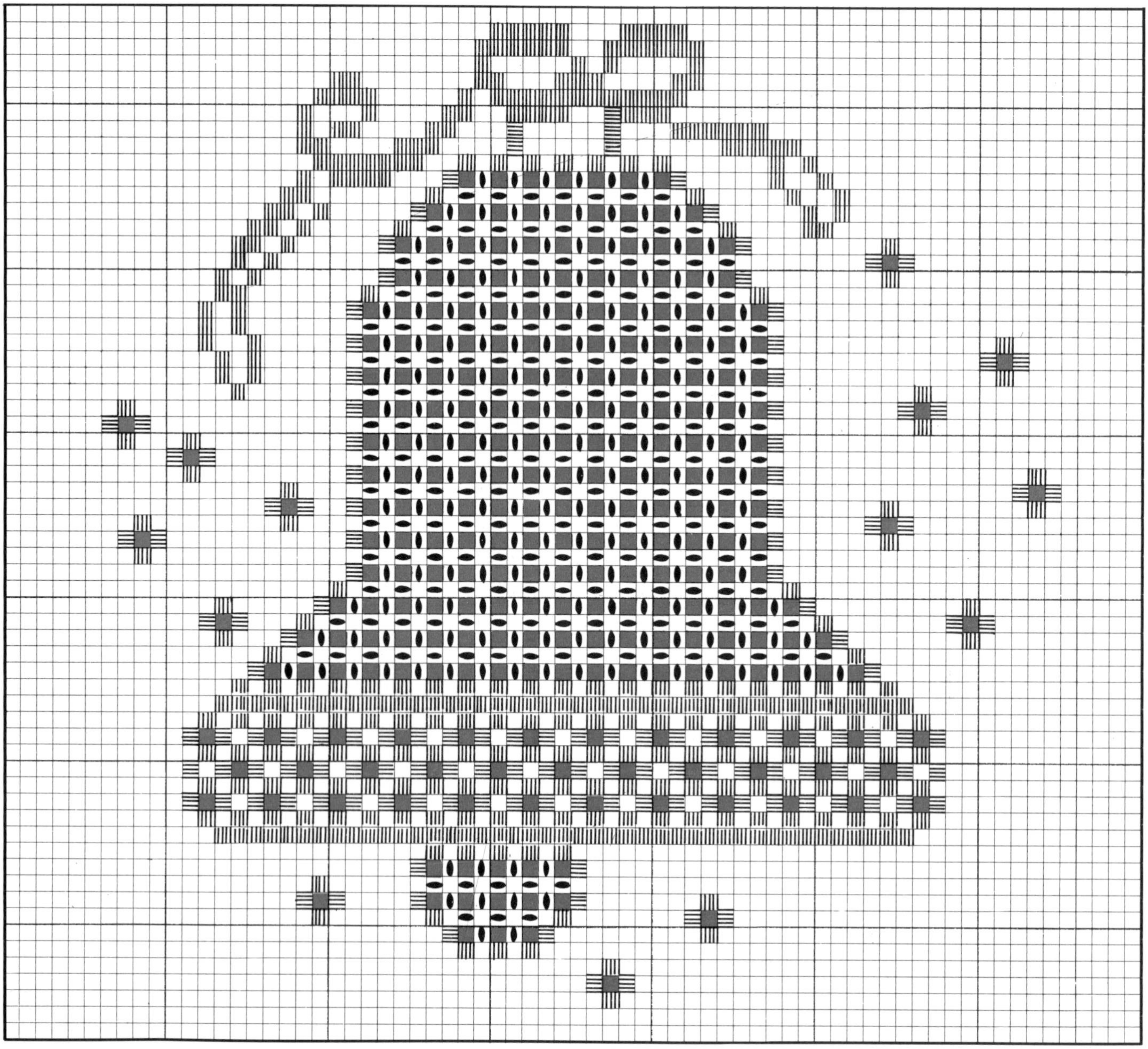

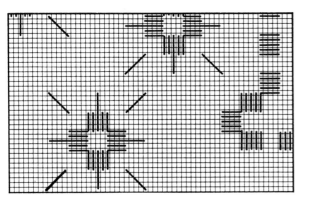

TANNENBAUM

- ☐ 1 Kästchen = 4 Gewebefäden
- ⫼ Plattstich: Perlgarn 5, rot
- ⨏ Plattstich: Goldbändchen
- ● Umwicklung: Perlgarn 5, grün
- ⊗ Schlingenstich: dünner Goldzwirn
- ▨ ausschneiden

Detailzeichnung: 1 Linie = 1 Gewebefaden

Zählvorlage zu
Seite 92 und 93

Weihnachtliche Fensterbilder

LUGANA 3835/954 rot

GLOCKE

Stickfeld: 59 x 60 Kästchen,
236 x 240 Gewebefäden
Stickfeldgröße: ca. 23,5 x 24 cm

STERN

Stickfeld: 61 x 61 Kästchen,
244 x 244 Gewebefäden
Stickfeldgröße: ca. 24,5 x 24,5 cm

TANNENBAUM

Stickfeld: 53 x 76 Kästchen,
212 x 304 Gewebefäden
Stickfeldgröße: ca. 21 x 30,5 cm

Zählvorlagen auf Seite 88, 90 und 91

Die genaue Größe des Fensterbildes richtet sich nach den handelsüblichen Ringen, die es im Bastelbedarf gibt. Deshalb vor dem Stoff den Ring kaufen. Die benötigte Stoffgröße ist dann ein Quadrat oder Rechteck, das ca. 10 cm größer als der Ringdurchmesser ist.

Auf das fertig gestickte Hardangermotiv den Ring legen und auf der Rückseite den Umfang nachzeichnen. Im Abstand von 1,5 cm rundherum eine Zickzack-Naht steppen, dann erst den Stoff abschneiden. Die Zugabe um den Ring legen und an 4 gegenüberliegenden Punkten feststecken, dann den ganzen Kreis feststecken. Von der Rückseite den Ring abwechselnd mit einem senkrechten und einem schrägen Stich übersticken. Die Stoffkante auf der Rückseite nicht anstechen, sondern fortlaufend unter den Ring rollen.

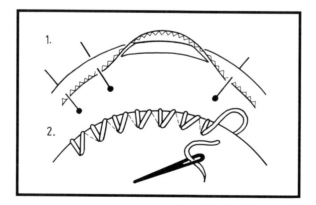

DAS ABC DER QUALITÄT

...WIE GRUNDSTOFFE – IN
HÜLLE, IN FÜLLE UND IN
BESTER QUALITÄT. DENN FÜR
IHRE INDIVIDUELLE HAND-
ARBEIT SOLL ES AM RICHTIGEN
GRUNDSTOFF NIE FEHLEN.

ZWEIGART:

Der beste Grund für
Ihre Handarbeit.

Zweigart & Sawitzki, Postfach 120, D-71043 Sindelfingen

ZWEIGART®
Handarbeits-Stoffe

Die Deutsche Bibliothek –
CIP-Einheitsaufnahme

Das **Hardanger-Buch.** –
Freiburg im Breisgau:
Christophorus-Verl.
(Edition Zweigart)
Bd. 2. Neue Muster und Motive. – 1994
ISBN 3-419-53189-3

© 1994 Christophorus-Verlag GmbH
Freiburg im Breisgau

Stickdesign: Irmgard Gürtesch, Astrid
Jannedy, Ingrid Thormeyer
Fotos: Thomas Schuster
Umschlaggestaltung und Layout:
Network!, München
Produktion: HEADLINE, München
Herstellung: Konkordia Druck GmbH,
Bühl 1994